A Geira

I LEGGENDARI
Gli Inganni di Morgana

Angy Pendrake

I LEGGENDARI
Gli Inganni di Morgana

© 2017 Storybox Creative Lab S.a.s. - Milano
info@story-box.it

© 2018 by EDICART

EDICART è un marchio EDICART Style

Progetto e realizzazione editoriale: Storybox Creative Lab, Milano
Coordinamento editoriale: *Isabella Salmoirago*
Editing: *Manlio Francia*
Direzione artistica: *Elisa Rosso*
Progetto grafico: *Yuko Egusa – Far East Studio*
Cover grafica: *Yuko Egusa*
Illustrazione di copertina: *Daniele Solimene*

Mappa del Castello di Avalon: *Daniele Solimene*

Questo libro è un'opera di fantasia. Nomi, personaggi, luoghi e avvenimenti sono frutto dell'immaginazione degli autori o sono usati in maniera fittizia. Ogni somiglianza a eventi, luoghi o persone reali, vive o morte, è del tutto casuale.

Tutti i diritti sono riservati. Nessuna parte di questo volume può essere riprodotta, memorizzata o trasmessa in alcuna forma o con alcun mezzo, elettronico, meccanico, in fotocopia, in disco o in altro modo, compresi cinema, radio, televisione, senza autorizzazione scritta dell'Editore. Le fotocopie per uso personale del lettore possono essere effettuate nei limiti del 15% di ciascun volume/fascicolo di periodico dietro pagamento alla SIAE del compenso previsto dall'art. 68, commi 4 e 5, della legge 22 aprile 1941 n. 633. Le riproduzioni effettuate per finalità di carattere professionale, economico o commerciale o comunque per uso diverso da quello personale possono essere effettuate a seguito di specifica autorizzazione rilasciata da CLEARedi, Corso di Porta Romana n. 108, Milano 20122, e-mail info@clearedi.org e sito web www.clearedi.org

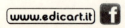

Avviso a tutti i lettori

Non cercate di raggiungere Avalon tuffandovi a caso nei laghi. I passaggi per il Mondo Magico si apriranno solo e soltanto per chi ha ricevuto la lettera di invito da parte dell'Accademia degli Eroi Leggendari e avrà superato le selezioni con Merlino in persona.

Prologo
La storia fino a ora

Una cosa è certa: sarebbe abbastanza difficile seguire le vicende che sto per raccontarvi, se non conosceste almeno un po' quello che mi è capitato durante la mia prima, incredibile avventura ad Avalon...

Chi di voi ha già letto il mio primo libro, Le porte di Avalon, *salti pure questo* Prologo *e vada diretto al primo capitolo, perché sapete già tutto quello che vi serve sapere.*

Per i nuovi lettori, o per chi ha bisogno di rinfrescarsi la memoria: tenetevi forte, perché sta arrivando un bel riassuntone.

Mi chiamo Angy Pendrake.

Sei mesi fa, il giorno del mio sedicesimo compleanno, ho ricevuto una strana pergamena che mi invitava a recarmi sulle rive del lago di Central Park per partecipare a delle misteriose "selezioni" per entrare nell'Accademia degli Eroi Leggendari. Pensavo che si trattasse di un invito a una fiera medievale, ma quando sono arrivata, ho incontrato solo un anziano venditore con una lunga barba bianca, dietro a una bancarella piena di bellissimi oggetti e libri antichi. Sono rimasta lì, come sospesa nel tempo, per tutta la notte.

Appena prima del sorgere del sole, tra quelle cianfrusaglie ho scelto un ciondolo che in passato era appartenuto ad Arthur Pendragon in persona...

Esatto, parlo proprio di re Artù.

Ancora non lo sapevo, ma avevo appena passato la prima selezione che faceva di me una candidata a frequentare l'Accademia degli Eroi Leggendari di Avalon, che prepara ragazzi e ragazze di tutto il mondo a diventare eredi degli antichi Leggendari.

Ma andiamo con ordine...
Soddisfatto della mia scelta, il misterioso venditore mi ha invitato a salire su una barca senza remi che mi ha trasportato fino al centro del lago.
Al sorgere del sole, sono stata avvolta da una nebbia misteriosa e ho visto una mano di donna spuntare dall'acqua. Ho pensato che fosse in difficoltà e, sporgendomi per afferrarla, sono caduta dalla barca. Quando sono riemersa, non mi trovavo più a New York, ma in mezzo a un oceano infinito, dove sorgeva un'unica isola rocciosa con un antico castello, costruito sulla scogliera più alta.

Era l'isola di Avalon.
Lì ho ritrovato il vecchio della bancarella, che si è rivelato essere nientemeno che Merlino in persona (o Myrddin come lui preferisce chiamarsi), e ho conosciuto i miei più cari amici, anche loro eredi di antichi Eroi Leggendari: Rob, Tyra, Geira e Halil. Con loro, ho imparato i primi rudimenti della mia arma, la spada, e di tiro con l'arco, ma soprattutto insieme a loro ho capito

che dovrò fare i conti con la mia 'eredità', cioè quegli aspetti di me stessa che arrivano da molto lontano...
Divisi tra mondo reale e mondo magico, la nostra vita si è fatta sempre più avventurosa e... complicata.
Ben presto siamo stati coinvolti in avventure più grandi di noi, come indagare sulle misteriose sparizioni di alcuni giovani leggendari, che nemmeno Merlino, sulla sua mappa magica, riusciva più a individuare.
Abbiamo scoperto che dai suoi uffici in acciaio e cristallo nel cuore di New York, la potente Morgaine Lefay non era chi diceva di essere, e le sue vere intenzioni non erano quelle di bonificare il lago di Central Park, infestato da una pericolosa specie di alghe. Purtroppo nessun membro dell'Alto Consiglio dei Leggendari ha voluto crederci e abbiamo ottenuto solo una sfilza di punizioni per aver ficcato il naso in cose che non ci riguardavano. Mi tremano ancora i polsi al ricordo di tutte le armature di thrall che ho dovuto lucidare! Non ci hanno ascoltati (tipico degli adulti) e hanno sottovalutato il pericolo, finché non è stato troppo tardi. Così, nonostante fossimo ancora deboli e inesperti, siamo

stati costretti a combattere contro Morgana per impedirle di violare le Porte di Avalon. Del resto non avevamo altra scelta: tutti gli Eroi Leggendari di Avalon, compresi Merlino, Parsifal e Galahad, erano caduti preda di un incantesimo immersi in un sonno simile alla morte.

A dire la verità, ancora mi chiedo come sia stato possibile sopravvivere alla terribile battaglia che si è svolta al confine tra il mondo magico e quello reale. Non so ancora se sia stato un caso, oppure no, ma il merito è stato di Excalibur, la spada di Artù, non certo mio. Quando Morgana l'ha vista è rimasta sconvolta e ha abbandonato la lotta...

È stato allora che ho capito che anche lei, la più spietata e subdola delle incantatrici, ha delle debolezze, delle ferite profonde che risalgono a oltre mille anni fa. Ferite che non si sono mai richiuse e che hanno generato rabbia, rancore e sofferenza.

Ho provato pena per lei, e una parte di me ha deciso di fidarsi. Forse è stato il nostro antico legame, che ci collega entrambe ad Artù che mi ha spinto a farlo. Un *legame che mi affascina e mi spaventa allo stesso tempo, perché nella mia mente continuo a chiedermi: siamo forse simili io e lei?*

In ogni caso, se abbia fatto bene o male a fidarmi di Morgana, la più potente delle incantatrici, lo scoprirete in queste pagine e sarete voi stessi a giudicarlo...

Un sogno, di nuovo...

Di tutti i sogni che avevo fatto fino ad allora, questo fu il più angosciante...

Sono sola in un vasto prato fangoso, sopra di me il cielo è color del piombo. Ogni tanto cadono, lente, grosse gocce di pioggia. Attorno a me, c'è un silenzio così profondo che il battito del mio cuore sembra assordante. Tuttavia, ho l'impressione di non essere sola: anche se non vedo nessuno, sento la presenza di centinaia, migliaia di persone. Percepisco il loro dolore, la loro disperazione, come se mi trovassi in mezzo a una folla di fantasmi. E improvvisamente, alle mie spalle sento una voce: «È qui e non è qui». Mi giro, e non vedo nessuno. La voce però continua e rimbomba tutto attorno a me: «È qui e non è qui. È qui e non è qui.»

Mi svegliai con un urlo. O per lo meno, provai a svegliarmi con un urlo, ma non ci riuscii, perché ero imbavagliata con un pezzo di nastro isolante.

«*Ah, già...*» mi ricordai. «*Sono stata rapita.*»

Ma andiamo con ordine.

Quella mattina avevo una verifica piuttosto importante: era l'ultimo compito in classe di matematica dell'anno, la mia ultima speranza di alzare la media prima delle vacanze estive.

E quindi, giustamente, ero rimasta alzata tutta la notte a studiare e di conseguenza mi ero svegliata la mattina dopo con la faccia sui libri, in ritardo di due ore.

Se non fossi stata così preoccupata a scapicollarmi a scuola in tempo per l'inizio della verifica, forse mi sarei accorta che qualcosa non andava...

Se solo avessi avuto il tempo di controllare il cellulare, invece di infilarlo frettolosamente in tasca, avrei visto le decine di chiamate senza risposta da un numero sconosciuto...

Se fossi riuscita a cambiarmi prima di uscire, non

avrei tenuto la testa bassa in metropolitana per la vergogna di avere addosso i vestiti della sera prima, e mi sarei accorta che il ragazzo con la felpa grigio scuro seduto qualche posto più in là, era lo stesso che avevo urtato uscendo di corsa dalla porta di casa...

Se non avessi avuto la matematica per la testa, avrei sicuramente notato la giovane donna in giacca e cravatta che aveva tentato di fermarmi all'uscita della metro, tentando di afferrarmi per la manica prima che la folla ci separasse.

E soprattutto mi sarei accorta che mi aveva chiamato per nome.

Insomma, tutte queste cose passarono inosservate, e non le riconobbi come segnali di pericolo se non molte ore dopo, quando ormai era troppo tardi.

Perciò, quando, a pochi metri da scuola, una mano enorme mi tappò la bocca e un braccio forte come acciaio mi si strinse alla vita, mi sollevò di peso e mi trascinò in un vicolo buio, io fui colta completamente alla sprovvista.

Non tentai di scappare.

Non provai a fare resistenza.

Non feci nemmeno in tempo ad avere paura, perché

una voce mi mormorò all'orecchio delle strane parole in una lingua sconosciuta, mi calò addosso una stanchezza mortale e io mi addormentai di colpo.

Mi risvegliai, chissà quante ore dopo, legata e imbavagliata, nel vagone scuro di un camioncino.

E allora ebbi tutto il tempo per avere paura.

Vi risparmio i dettagli del mio attacco di panico, vi basti sapere che passai una buona mezz'ora a tentare disperatamente di liberarmi le mani legate e a tirare calci furiosi contro la porta del camioncino. Poi, finalmente mi stancai abbastanza da calmarmi e riuscire a pensare con lucidità.

Facciamo il punto della situazione... È molto probabile che mi abbiano catturato le stesse persone che hanno rapito gli altri ragazzi di Avalon. E quindi Merlino si sarà già accorto che sono sparita dalle sue mappe magiche. Non che questo sia servito a ritrovare i ragazzi rapiti, ma è già qualcosa...»

Presi dei lunghi respiri e i battiti del mio cuore tornarono pian piano a essere più calmi e regolari.

Che sciocca! Come ho fatto a non pensare che la stessa sorte poteva toccare anche a me? Avrei dovuto stare più attenta.

In effetti, io e i miei amici eravamo usciti dalle nostre ultime avventure vittoriosi e con un vago senso di onnipotenza, come se niente potesse sconfiggerci.

E anche in quella occasione così drammatica, fu proprio a quella sensazione che mi aggrappai...

Forza Angy, se sei riuscita a sconfiggere Morgana in persona nella battaglia del lago, in qualche modo riuscirai anche a uscire viva da questo camioncino! Pensa, pensa, pensa...

Mi costrinsi a restare ferma e tranquilla a riflettere. Tentare di liberarsi mentre ero in movimento si era rivelato inutile. Ma, dovunque stessimo andando, prima o poi ci saremmo dovuti fermare, e chiunque mi avesse gettato in quel furgone, avrebbe dovuto aprire le porte per farmi scendere...

Ecco, quella sarebbe stata la mia occasione di fuga! Appena i miei rapitori si fossero mostrati, avrei lottato con le unghie e con i denti per liberarmi.

Fu proprio mentre formulavo questi piani, che dalle grate di areazione sulle porte del furgoncino entrò un lampo improvviso di luce accecante.

Per un attimo fui costretta chiudere gli occhi.

Proprio in quella frazione di secondo ci fu uno

schianto, qualcosa colpì con forza la fiancata del camioncino e lo fece sbandare. Per l'urto persi l'equilibrio e andai a sbattere con violenza contro la parete di metallo.

Con uno stridio di copertoni, il furgone si rimise in carreggiata, ma un secondo colpo lo fece sbandare di nuovo e io rotolai sul fondo come un sacco di patate.

All'improvviso, l'interno del camioncino venne invaso dalla luce del giorno e da una forte corrente d'aria.

Le porte del furgoncino si erano spalancate!

Davanti ai miei occhi scorreva veloce una strada fiancheggiata da file di alberi, che sarebbe stata completamente deserta, non fosse stato per due moto nere, condotte da misteriosi motociclisti in tuta e casco integrale, che seguivano il camioncino a breve distanza.

Impiegai un attimo a notare che uno di loro teneva in mano un mazzafrusto, che faceva roteare sopra la testa.

L'altro sollevò la visiera del casco, e vidi che era un uomo giovane, sui vent'anni, con una corta barba scura. Non seppi dire perché, ma ero certa di averlo già visto prima da qualche parte...

«Angy, tieniti pronta!» urlò.

Feci a malapena in tempo a pensare: «*Tieniti pronta per cosa?*» che il motociclista con il mazzafrusto accelerò rombando, portandosi a fianco del furgone.

Un nuovo violento urto colpì la fiancata, e poi un altro e un altro ancora...

Con una sbandata e un tremendo stridìo di freni, il camioncino rallentò di botto e io andai a sbattere contro la parete dell'abitacolo, dal quale giunse una raffica di imprecazioni soffocate.

«Salta! Ora!» gridò il ragazzo sulla moto.

Io non persi tempo a valutare i rischi: sapevo solo che una volta che il furgone avesse ripreso velocità, sarebbe svanita la mia unica opportunità di fuga.

E così, senza pensarci due volte, saltai giù.

Atterrai sull'asfalto, e rotolai per un paio di metri.

La moto nera si fermò sgommando a pochi passi da me e il conducente abbassò il cavalletto con una pedata, smontò e venne nella mia direzione.

Si inginocchiò accanto a me, tirò fuori dalla tasca del giubbotto di pelle un coltellino a serramanico e con un colpo secco tagliò la fascetta di plastica che mi legava i polsi.

Appena fui libera, mi strappai via il nastro adesivo

dalla bocca e mormorai, senza fiato: «Ma... che... cavolo... sta... succedendo?»

«Non c'è tempo per le spiegazioni» disse lui, rimontando in moto. «Sali!»

«Cosa? Ma non so neanche chi sei, come faccio a fidarmi di...»

Lui si tolse il casco, e vidi che aveva i capelli lunghi e castani. Allora finalmente lo riconobbi: era uno degli scagnozzi di Morgaine Lefay, l'avevo incontrato poche settimane prima, alla battaglia del lago di Central Park.

«Mi chiamo Miller. E, in caso tu non te ne sia ancora accorta, io e il mio amico Raul ti abbiamo appena salvato, Angy Pendrake. Mi sembra un buon motivo per fidarsi» disse, porgendomi il casco. «Ora mettiti questo e sali, prima che li perdiamo!»

Io esitai per un attimo, ma poi mi resi conto che l'alternativa era rimanere sola in una strada deserta senza soldi né cellulare. Così indossai il casco, che era umido di sudore ma profumato di shampoo da uomo, e salii sulla moto dietro di lui.

Miller fece rombare il motore. «Tieniti stretta, andrò veloce» mi avvertì, e senza aggiungere altro, si gettò all'inseguimento.

Sfrecciando a massima velocità sulla strada deserta, in poco tempo raggiungemmo nuovamente il furgoncino, che era ancora impegnato in un duello di urti e sbandamenti con l'altro motociclista, Raul.

Continuava a colpire l'abitacolo con il suo mazzafrusto, ma nonostante la furia dei suoi colpi, i vetri del furgoncino resistevano ancora...

Ma che cavolo... sono vetri blindati!» pensai con stupore misto a panico. *E quello non è un furgoncino qualsiasi, rubato da qualche balordo per mettere in atto il rapimento...*

Questo dettaglio mi fece rabbrividire: voleva dire che c'era una grande organizzazione dietro tutto questo...

Il conducente del camioncino, chiunque fosse, cercava di sottrarsi ai colpi dell'aggressore e, allo stesso tempo, di sbandare verso di lui per urtarlo con la fiancata, ma Raul era abile e veloce e si allontanava sempre un attimo prima di essere colpito e buttato per terra.

D'un tratto, il furgone deviò bruscamente su una strada sterrata che si immergeva tra gli alberi. Era ben nascosta tra i cespugli, praticamente invisibile a chi già non conoscesse la sua esistenza.

Raul fu colto di sorpresa: non riuscì a girare in tempo e fu costretto a continuare per un lungo tratto sulla strada principale prima di frenare, girare la moto, e tornare all'inseguimento. Noi eravamo ancora lontani e lo raggiungemmo un attimo dopo che si addentrò a sua volta nel bosco.

La strada era accidentata e le moto, con le loro gomme lisce, furono costrette a rallentare per non sbandare.

Il furgone, più stabile e pesante, che aveva già guadagnato un notevole vantaggio con la deviazione a sorpresa, riuscì a distaccarci ancora di più.

Dopo qualche minuto giunse alle mie orecchie, attutito dal casco, uno rumore lontano, simile a quello di un ventilatore. Più andavamo avanti, più si faceva forte...

A un tratto, la strada davanti a noi si allargò in un'ampia radura di terra battuta, ai cui confini erano accatastate pile di tronchi.

Nel mezzo stazionava un elicottero scuro pronto al decollo: ecco che cosa produceva il rumore che avevo sentito da lontano!

Il camioncino frenò di colpo e Raul dovette curvare bruscamente, all'ultimo istante, per non sbatterci contro.

Miller, invece si fermò appena prima di entrare nello spiazzo, estrasse il suo smartphone e cominciò a digitare furiosamente.

Le porte del furgoncino si aprirono e ne uscirono i miei due rapitori. Per un attimo rimasi stupita: erano molto più esili di quanto in realtà mi aspettassi!

Indossavano entrambi una felpa grigia con un ampio cappuccio alzato e una bandana scura sul volto.

Raul scattò subito verso di loro, roteando il suo mazzafrusto, ma un istante prima che riuscisse a raggiungerli, ci fu un boato improvviso. Un'onda d'urto ribaltò il furgoncino, che rotolò verso di lui con un frastuono metallico, costringendolo a scartare di lato per non essere investito.

Approfittando di questo improvviso diversivo, i due rapitori fuggirono verso l'elicottero.

«Fermali, Raul!» gridò Miller. «Non lasciarli scappare!»

Ma l'elicottero si stava già alzando in volo.

Dalle porte aperte dell'abitacolo, i due ragazzi vestiti di grigio guardavano verso il basso, reggendosi alle maniglie sopra la loro testa.

Il più minuto di loro abbassò la bandana che gli copriva il volto e anche da lontano capii, dai tratti morbidi e quasi infantili del viso, che era giovanissimo: appena un ragazzino.

Sotto il mio sguardo stupefatto, l'elicottero si alzò sopra le cime degli alberi, e fattosi minuscolo per la distanza, si allontanò nel cielo azzurro.

Il nemico del mio nemico...

Dopo tutti questi avvenimenti, mi sentivo decisamente scossa. Mi ero seduta, con la testa che girava, su uno dei tronchi abbattuti, a sorseggiare pian pianino da una bottiglietta d'acqua che Miller mi aveva passato.

Nel frattempo, i miei due 'salvatori' avevano iniziato a litigare furiosamente, girandosi attorno come pugili nello spiazzo sterrato ricoperto dai trucioli di legno, vicino al furgone ribaltato.

Anche Raul si era tolto il casco, rivelando un volto giovane dalla pelle molto scura. Aveva i capelli rasati a zero.

Dalle loro voci concitate non riuscivo a cogliere

che poche parole, tra cui "Madame Lefay", "Leggendari", "missione fallita", e una serie di parolacce che non ripeterò.

Man mano che mi riprendevo dallo shock di essere stata prima rapita e poi coinvolta in un inseguimento ad alta velocità, nella mia mente cominciavano ad affollarsi domande su domande.

Innanzitutto, chi erano i miei rapitori?

Erano gli stessi che avevano fatto sparire gli altri eredi, compreso il mio amico Namid?

Miller e Raul erano uomini di Morgana, ma io avevo combattuto contro di lei alle porte di Avalon. Non stavamo dalla stessa parte, per quale motivo mi avevano salvata?

Come facevano a sapere dove mi trovavo?

I miei pensieri vennero interrotti dall'arrivo di una automobile nera, dai vetri scuri, che attraversò la radura con le ruote che crepitavano sul terreno di sabbia e trucioli, e si fermò vicino ai due ragazzi.

Questi interruppero all'istante il loro battibecco e dopo una breve esitazione si avvicinarono alla macchina. Il finestrino del passeggero si abbassò e i due ragazzi iniziarono a parlare animatamente con qualcuno all'interno, a testa bassa, come se qualcuno stesse facendo loro una bella lavata di capo.

Dopo qualche minuto, Miller si girò verso di me e mi fece cenno con la mano di avvicinarmi.

Io saltai giù dal tronco su cui ero seduta e li raggiunsi, zoppicando un po' per la botta al fianco che mi ero presa rotolando giù dal camioncino.

Appena arrivai accanto alla lussuosa auto scura, Miller aprì la portiera della macchina e vidi che all'interno, vestita con un elegante tailleur turchese e intenta a digitare su un tablet, c'era lei: Morgaine Lefay in persona.

Per la sorpresa, rimasi interdetta.

Che ci faceva qua, e cosa voleva?

Vedendomi esitare, Morgaine si girò finalmente verso di me, sollevando spazientita un sopracciglio nero.

«Dunque? Rispondi. Vuoi essere riportata a casa, o no?»

Al mio silenzio sbalordito, aggiunse: «Preferisci forse restare qua e aspettare che i tuoi rapitori tornino a riprenderti con i rinforzi?»

«No, certo che no!» dissi io, e salii in macchina.

Raul fece per chiudere la portiera alle mie spalle, ma Miller lo fermò: «Aspetta! Angy, c'era questo nell'abitacolo del furgone» disse, porgendomi la mia borsa a tracolla.

Io la presi, balbettando confusa un ringraziamento, che venne interrotto dal tonfo della portiera che si chiudeva.

Morgaine diede il mio indirizzo esatto all'autista che riconobbi, dal suo riflesso nello specchietto retrovisore: era la ragazza bionda con gli occhiali dalla montatura spessa che avevo visto più volte assieme a Miller.

Con un dolce mormorio del motore, la macchina si mise in moto.

«Sei ferita?» chiese Morgaine, senza alzare gli occhi dal tablet.

Io esitai perché era l'ultima cosa che mi aspettavo mi chiedesse. La spalla e il fianco mi facevano ancora un po' male per la caduta, ma non era niente di insopportabile.

«Sto bene. Perché mi avete salvata? Come avete fatto a sapere che ero stata rapita?»

Morgaine ripose il tablet nella borsa che teneva

di fianco a sé, e si girò a guardarmi, gli occhi che sembravano innaturalmente illuminati nonostante la penombra dell'abitacolo.

Dopo avermi scrutata per un attimo, sospirò spazientita. «Da un paio di settimane ero sicura che saresti stata il prossimo obiettivo di Mordred» rispose gelida. «I miei collaboratori hanno visto i suoi seguaci ronzarti attorno, probabilmente per capire le tue abitudini e cogliere il momento perfetto per prenderti. Non abbiamo fatto altro che tenerti d'occhio e aspettare che colpissero, in modo da poterli seguire fino al loro nascondiglio.»

Impiegai un attimo a registrare le sue parole. Poi, indignata, esclamai: «Quindi mi avete usata... come esca?»

Morgaine fece un gesto noncurante con la mano: «Quante scene. Ti abbiamo ripresa in tempo, non credi?»

«Avreste potuto almeno avvertirmi! Così almeno mi sarei preparata psicologicamente... mi sono presa uno spavento enorme, secondo me ne esco pure traumatizzata!»

«Amelie ha provato ad avvertirti stamattina, ma

l'hai ignorata completamente.»

Dallo specchietto retrovisore, incrociai gli occhi castani dell'autista, che alzò un sopracciglio come a dire: "in effetti..."

Solo allora, come un flash, mi ricordai della ragazza bionda che aveva provato ad afferrarmi la manica mentre andavo a scuola, ma che non avevo nemmeno registrato, perché ero totalmente presa a pensare alla mia verifica di matematica...

La mia verifica di matematica! L'avevo saltata, e mi sarei beccata l'insufficienza a fine anno. Mi nascosi la faccia tra le mani con un gemito.

«Sono finita!»

Morgaine, di fianco a me, sembrava parecchio stizzita.

A voce bassa, come se parlasse a sé stessa più che con me, disse: «Tutto questo non è stato altro che uno spreco di tempo e risorse. Quegli inetti dei miei collaboratori non sono riusciti a fermare i seguaci di Mordred, né a mettere un dispositivo di tracciamento sull'elicottero che li ha portati via. E dubito che Mordred cercherà di prenderti nuovamente, ora che sa che ti teniamo d'occhio. Non avremo un'altra occasione per tentare questo piano, a meno che non riusciamo a trovare un altro erede prima di lui...»

Io aggrottai le sopracciglia: «Perché vuoi trovare Mordred? Non penso proprio che tu sia interessata alla sorte dei ragazzi rapiti...»

Lei mi fulminò con uno sguardo verde veleno.

«Fai un po' troppe domande, ragazzina.»

Sospirai in modo teatrale e incrociai le braccia.

«Bene, me ne starò zitta allora».

«Apprezzo la tua iniziativa.»

Scossi la testa e mi misi a guardare fuori dal finestrino, sperando che il viaggio di ritorno finisse presto...

La macchina frenò, e io mi svegliai di colpo.

Non mi ero nemmeno accorta di essermi addormentata, dovevo essere veramente esausta per le emozioni di quella mattina, sommate alla notte insonne passata a studiare.

Mi raddrizzai sul sedile, mi strofinai gli occhi e guardai fuori: ci eravamo fermati esattamente sotto casa mia.

Nel tempo che avevo impiegato a riorientarmi, Amelie era scesa dalla macchina e girandovi attorno era venuta ad aprirmi la portiera.

«Angy...» disse Morgaine, e quando mi girai a guardarla, lei mi appoggiò una mano su una spalla, delicatamente, quasi con cautela.

Prima che potessi stupirmi di quel gesto inaspettato e quasi affettuoso, vidi che con l'altra mano mi stava porgendo un biglietto da visita.

Lo accettai e lo osservai: era completamente nero, di cartoncino opaco, e al centro erano impresse, lucide e argentate, le lettere "LF"

«Abbiamo avuto le nostre divergenze» continuò Morgaine. «Io e l'Alto Consiglio dei Leggendari... non la vediamo sempre allo stesso modo, per così dire. Ma in questo momento abbiamo un obbiettivo comune: fermare Mordred. Sono convinta che potremo essere utili gli uni agli altri. Merlino e Viviana saranno pure potenti, ma la loro influenza non si estende fino al mondo degli umani. La mia sì. Faglielo presente, la prossima volta che li vedrai e forse potremmo giungere a un accordo.»

Per un attimo rimasi sbalordita, poi dissi: «Con tutto il rispetto, Morgaine... anzi, che dico, senza nessunissimo rispetto, che non te lo meriti: hai proprio una bella faccia tosta. Soltanto poche settimane fa, hai cercato di sfondare le Porte di Avalon, hai intrappolato i Leggendari con il tuo incantesimo... hai lasciato che i tuoi mostri attaccassero me e i miei amici! Spiacente, ma temo che non abbiamo proprio nessun motivo per fidarci di te!»

«Forse...» disse Morgaine, lasciando andare la mia spalla, e raccogliendo entrambe le mani in grembo. «Ma, come si dice, il nemico del mio nemico è mio amico.»

«Te lo sogni» sbottai, uscendo dalla macchina.

«Ricordati, Angy» disse la voce di Morgaine alle mie spalle: «Per quanto tu tragga conforto dal disprezzarmi, sei la discendente diretta di Artù, mio fratello. Abbiamo lo stesso sangue, tu e io.»

Per l'ennesima volta, rimasi a bocca aperta. Poi mi riscossi e dissi: «Non significa nulla per me.»

Non ricevetti risposta, perché Amelie chiuse la portiera davanti al mio naso, e senza degnarmi di uno sguardo tornò al posto di guida.

La lussuosa macchina nera della Lefay Enterprise scivolò via tra le strade di New York, lasciandomi in piedi sul marciapiede, esausta, impolverata e furibonda.

Solo dopo qualche istante mi accorsi che la spalla

che mi ero ferita cadendo dal furgone, la stessa su cui Morgaine aveva posato la mano, aveva smesso di farmi male.

Ci mancava solo questa!

La mia disavventura di quella mattina mi era sembrata durare una vita intera, ma in realtà non era nemmeno l'una del pomeriggio. L'inseguimento nei boschi mi aveva fatto pensare di essere chissà dove, ma probabilmente, se i miei calcoli erano esatti, doveva essersi svolto in uno dei parchi nazionali a non più di un paio d'ore di distanza da New York.

Il che mi fece pensare che l'influenza di Mordred nel mondo reale doveva essere veramente molto estesa, perché per far atterrare un elicottero nel mezzo di un parco nazionale senza che la guardia forestale o la polizia ci mettessero becco, bisognava essere in grado di far "chiudere un occhio" a un gran numero di persone.

Probabilmente nel corso dei millenni aveva trovato il modo di fare un bel po' di soldi, proprio come Morgana, e quindi, come lei, doveva avere un'azienda, o più di una, che potessero fornirglieli.

Queste erano informazioni che l'Assemblea dei Leggendari avrebbe sicuramente trovato molto interessanti.

Quasi a leggermi nel pensiero, mentre salivo le scale che conducevano a casa mia, la borsa a tracolla mi scivolò dalla spalla, spargendo il proprio contenuto sul pavimento.

Mentre mi chinavo a raccogliere la mia roba, vidi che la pergamena di Merlino, che portavo sempre con me, si era srotolata da sola, in modo che fosse impossibile ignorare le parole che vi erano scritte:

"Stimatissima damigella Angelica Pendrake detta Angy,
l'Assemblea degli Eroi Leggendari,
saggiamente guidata dall'illustrissimo
Myrddin detto Merlino, ha notato con preoccupazione la sua sparizione dalle nostre Mappe Magiche per
tutta

questa mattina, e si premura di assicurarsi che stia bene.

Inoltre, poiché l'ultima volta che si era verificato un avvenimento simile, lei era andata a infilarsi negli edifici di Morgana, dando prova di grande incoscienza, e siccome le era stato esplicitamente vietato di ripetere questo errore, l'Assemblea degli Eroi Leggendari, saggiamente guidata dall'illustrissimo Myrddin detto Merlino, spera per lei che non ci abbia disubbidito, altrimenti tutte le eroiche azioni che ha compiuto in difesa delle Porte di Avalon non serviranno a evitarle un'esemplare punizione.

Cordialmente, l'Assemblea degli Eroi Leggendari, saggiamente guidata dall'illustrissimo Myrddin detto Merlino"

Sbuffai esasperata.

Che cosa vogliono ancora da me? pensai. *Per oggi, insomma, ne ho abbastanza di Myrddin detto Merlino, dell'Assemblea dei Leggendari, di Avalon e di tutto il mondo magico!*

Poi, come se grazie alla vicinanza della pergamena magica Merlino potesse davvero sentirmi, borbottai ironica: «Grazie tante dell'interessamento. Sto bene, più o meno. E avrò molte cose da raccontare all'Assemblea, su Mordred e sui ragazzi scomparsi... ma dovrete aspettare finché sarò passata ad Avalon, vecchi brontoloni!»

Come tutti i venerdì, infatti, avrei dovuto sgattaiolare a notte fonda a Central Park e attraversare il passaggio per il mondo magico che si trovava al centro del lago.

In realtà non ne avevo per niente voglia: il mio unico desiderio al momento era buttarmi a letto e dormire per due giorni di fila.

Meditavo di fare proprio quello, e di prendermi un weekend di meritata vacanza da tutto ciò che aveva a che fare con il mondo magico, ma mi bastò aprire la porta di casa per capire che il mio piano di dormire tutto il pomeriggio non sarebbe andato a buon fine.

Ad aspettarmi seduti al tavolo del soggiorno, con il volto scuro e tempestoso e le braccia incrociate, c'erano i miei genitori.

Rimasi bloccata sulla porta, gelata dal loro sguardo furibondo.

Cosa ci facevano a casa?

Come mai non erano al lavoro?

Di solito sono entrambi talmente impegnati con ambulatori, operazioni ed emergenze varie, che si trattengono all'ospedale dove lavorano come cardiologo e chirurga, ben oltre l'orario di lavoro. Per loro, anzi, non esistono proprio orari, né tantomeno giorni liberi e se li hanno, li passano ad approfondire le relazioni con capi e colleghi.

Neanche frugando nei più remoti recessi della mia memoria riuscivo a ricordare una volta sola in cui avevano preso un permesso per tornare a casa prima.

Qualunque fosse il motivo per cui si trovavano lì, davanti a me, in quel momento, doveva essere molto grave.

«Che succede?» chiesi, spaventata, aspettandomi di ricevere una bruttissima notizia. Magari era successo qualcosa ai miei nonni, o ai miei zii...

Ma invece di rispondermi mia madre disse: «Com'è andata a scuola, Angy?»

«Uh...» balbettai io, lasciando scorrere lo sguardo tra lei e mio padre.

Ora che ci pensavo, non ricordavo nemmeno l'ultima volta che li avevo visti arrabbiati.

In realtà, erano tre o quattro giorni che proprio nemmeno li vedevo, perché erano sempre usciti prima che io mi svegliassi, e rientrati a casa quando ero già a letto.

Mi riscossi e risposi alla domanda: «Bene. Non è successo niente.»

Mio padre sbatté il palmo della mano sul tavolo e si alzò in piedi: «Sappiamo che non sei andata a scuola, Angy. Ci ha chiamato la direzione, perché siamo alla tua quinta assenza non giustificata in soli dieci giorni.»

Io aprii e chiusi la bocca a vuoto come un pesce, senza sapere cosa rispondergli. E che gli potevo dire? Era vero che saltavo spesso la scuola ultimamente, ma era perché a volte rientravo dall'Accademia talmente stanca che avevo bisogno di un giorno di riposo per riprendermi. E in realtà a volte semplicemente non avevo voglia di andare, perché il liceo sembrava terribilmente noioso e inutile in confronto alle meraviglie della dimensione magica.

«Non avevi quella verifica importantissima, oggi?» chiese mia madre, a braccia incrociate. «Quella da cui dipendeva la tua sufficienza a fine anno?»

«Beh, sì, ma in realtà...»

«L'hai saltata?»

«Io...»

«Ma cosa ti è venuto in mente?!» esclamò mia madre. «Lo sai quanto è importante avere la media alta per riuscire a entrare in un buon college. Si può sapere perché l'hai fatto?»

Sentii gli occhi che mi si riempivano di lacrime. Io in realtà avevo avuto tutta l'intenzione di darla, quella verifica. Avevo studiato come una matta per giorni, e mi ero pure fatta la notte in bianco a ripassare!

I miei non potevano sapere che il motivo per cui non mi ero presentata a scuola era perché mi avevano catturata, buttata in un furgone, e trasportata chissà dove. Era stato terribile e mi ero presa uno spavento pazzesco. Ma non potevo dirglielo, perché non potevo rivelare a nessuno, nemmeno ai miei genitori, l'esistenza della dimensione magica.

A tenermi dentro tutta quella rabbia e frustrazione mi pareva di esplodere, e serravo le labbra perché avevo l'impressione che se avessi aperto la bocca anche di un millimetro mi sarei messa a gridare.

Al mio silenzio, vidi che i miei genitori si scambiarono uno sguardo che non riuscii a decifrare.

«Beh? Non dici niente?» chiese mio padre.

No, non dissi niente, ma con un angolo della manica mi asciugai rapidamente una lacrima che minacciava di scapparmi lungo la guancia.

Dopo che il silenzio si fu protratto per qualche lungo, faticoso secondo, mia madre disse: «Non ci lasci altra scelta che metterti in punizione. Rimangono due settimane prima che finisca la scuola, e in questo tempo non potrai uscire di casa se non per andare a lezione, e neppure invitare i tuoi amici se non per farti aiutare con i compiti. Potrai usare questi giorni per concentrarti sullo studio e cercare di rimediare ai tuoi votacci, e per riflettere sul tuo comportamento irresponsabile.»

Ah, be', un gran bel programmino, pensai con un po' di amarezza, *peccato che se io decidessi di disobbedire a tutti i vostri divieti, probabilmente non ve ne accorgereste neanche: in casa non ci siete mai...*

Ma ovviamente non dissi nulla, e me ne rimasi zitta a tirare su con il naso.

Visto che i miei non aggiungevano nient'altro, e

si guardavano tra loro un po' interdetti come se non sapessero che cosa dire, alla fine mormorai: «Beh me ne vado a studiare, allora.»

E con lo sguardo basso strascicai i piedi fino alla mia stanza. Solo che non mi misi a studiare, ma mi buttai sul letto, nascosi la faccia nel cuscino, e piansi di rabbia per un'umida mezzora, finché, sfinita, mi addormentai.

A motivo del castigo appena ricevuto, quando quella notte sgattaiolai fuori di casa, feci particolarmente attenzione a non fare il minimo rumore. Se mi avessero beccato proprio in quel momento, allora sì che avrei passato guai seri. Non che mi facesse piacere disobbedire ai miei genitori. Probabilmente, se fosse stato un venerdì come tutti gli altri, avrei deciso di non correre il rischio e avrei saltato il viaggio ad Avalon, per una volta.

Ma avevo delle informazioni troppo importanti e non potevo tenerle per me per un'altra settimana: dovevo riferirle al più presto a Merlino e agli altri Leggendari.

Poi a essere sincera, avevo bisogno di vedere i miei

amici: sapevo che parlare con loro mi avrebbe fatta sentire meglio dopo la giornataccia che avevo passato.

Prima di uscire, mi ero premurata di lasciare sul comodino della mia stanza il biglietto da visita che mi aveva dato Morgaine.

Dopo lo scherzetto che ci aveva fatto con le alghe assassine, non volevo rischiare di portarlo ad Avalon, in caso fosse imbevuto di qualche magia spiona o in altro modo dannosa. E d'altro canto nemmeno volevo buttarlo: un vago presentimento mi diceva che in un modo o nell'altro sarebbe tornato utile.

Arrivata finalmente a Central Park, ormai a pochi minuti dall'alba, riuscii ad avvicinarmi inosservata al bordo del lago e a salire sulla barchetta senza remi che mi aspettava nascosta tra i cespugli.

Appena lo scafo della barchetta affondò leggermente sotto il mio peso, questa iniziò a muoversi da sola verso il centro del lago. A mano a mano che avanzava ondeggiando, dal pelo dell'acqua iniziò a sollevarsi una lieve foschia mattutina, che si fece sempre più fitta.

Intanto, il sole sorgeva lentamente, tingendo di rosa la nebbiolina pallida, che presto fu talmente densa da nascondere alla mia vista le rive del lago e il profilo dei grattacieli.

Allora seppi che era arrivato il momento: presi un gran respiro e mi buttai in acqua.

Per un attimo, vidi solo il buio delle profondità del lago. Poi, sotto di me, iniziai a scorgere una pallida luce grigiastra...

Allora mi rigirai su me stessa e nuotai verso il basso.

Solo che, invece di toccare il fondo, la mia testa infranse la superficie dell'acqua.

E attorno a me non c'era più il lago di Central Park, ma l'infinito oceano magico, pallido e immobile sotto il cielo grigio di pioggia.

In lontananza, invece dei palazzi si stagliava, rocciosa e impervia, l'isola di Avalon. E sulla sommità della sua scogliera più alta, sorgeva fiera la fortezza dove aveva sede l'Accademia degli Eroi Leggendari.

Tutto questo ormai per me era un panorama familiare: lo vedevo ogni venerdì, quando passavo dal mondo reale a quello magico. Ma quel giorno, c'era qualcosa che non avevo mai visto prima, che mi sorprese talmente tanto che per un istante mi dimenticai di tenermi a galla e andai a fondo, inghiottendo una boccata d'acqua salata.

A poca distanza dall'isola, così imponente da gettare la sua ombra sul castello, affiorava dall'acqua la sagoma grigia ed enorme di un gigante di pietra.

Ospiti
inaspettati

Il gigante non aveva fattezze ben definite. Solo a fatica si potevano scorgere gli elementi distintivi del volto: il naso, la bocca, gli occhi chiusi, sembravano grossolanamente scolpiti sul fianco di una montagna. Solo le spalle e la testa del gigante affioravano dall'acqua, e tuttavia erano abbastanza grandi da superare in altezza la torre più alta del castello. Teneva una mano sollevata fuori dalle onde e reggeva qualcosa, che da lontano non riuscivo a distinguere. Sembrava una specie di cupola lucente.

Ero talmente presa a osservare quello strano spettacolo che per un attimo non mi accorsi che qualcuno mi stava chiamando. Quando finalmente mi girai, vidi che su una barchetta a poca distanza da me c'era il mio amico Rob, inconfondibile con i suoi capelli rossi e il sorriso sdentato, che mi salutava agitando un braccio. Con lui c'erano quattro ragazzi che conoscevo solo di vista, ancora bagnati fradici: dovevano essere tutti riemersi da poco.

Li raggiunsi con un paio di rapide bracciate e Rob mi aiutò a salire a bordo. Non ci messaggiavamo dal giorno prima, in cui sapevo avrebbe avuto l'udienza per quella brutta storia del tablet rubato. Decisi che non era il momento di fare domande... e mi limitai a salutarlo con un filo di imbarazzo.

«Ehi, Rob, come va? Come vanno le cose?»

«Ciao Angy!» rispose un po' impacciato, con un smorfia che in realtà voleva dire "sorvoliamo, sono nei guai" e cambiò subito discorso. «Cavolo, hai visto che roba!? Hai idea di cosa sia quel gigante?»

Io scossi la testa, strizzandomi l'acqua dai capelli. «Assolutamente no. Non immaginavo neanche che potesse esistere qualcosa del genere!»

«Neanche noi ne sappiamo niente» disse uno degli altri ragazzi, un piccoletto con i capelli riccissimi. «Pazzesco, vero? Veniamo ad Avalon da quasi due anni e non abbiamo mai visto, né sentito parlare di nulla di simile.»

«Sarà pericoloso? Pensate che voglia attaccare il castello?» chiese Rob preoccupato. «Perché, cioè... una manata di quello, e siamo fregati, non so se mi spiego! Addio castello di Avalon! Accademia degli Eroi Leggendari, tanti saluti!»

«Per ora non sembra che stia facendo niente di cui preoccuparsi, se ne sta solo lì fermo...» osservai io. «E poi se ci fosse pericolo non ci avrebbero fatti rientrare ad Avalon questa settimana, non credi?»

Intanto la nostra barchetta aveva cominciato a muoversi lentamente verso le rive dell'isola, per raggiungere le altre che avevano già attraccato sulla spiaggia.

Ora che eravamo più vicini, riuscii a vedere meglio l'oggetto che il gigante reggeva nel palmo della mano rocciosa: sembrava fatto di vetro e metallo, e ricordava vagamente una serra. Ma ero ancora troppo lontana per riuscire a cogliere altri dettagli.

Come lo scafo della barchetta affondò nella sabbia, saltammo giù e ci unimmo agli altri studenti che si erano attardati sulla spiaggia a guardare il gigante e a chiacchierare, riuniti in piccoli gruppi rumorosi e allegri.

Tra loro, notai subito una ragazza molto alta, con i capelli biondi sciolti sulle spalle e un enorme zaino da escursione sulla schiena. «Geira!» gridai, correndo verso di lei, mentre Rob mi arrancava dietro.

Quando si girò per salutarci, notai che il suo viso era ancora più malinconico del solito e, nonostante ci sorridesse, i suoi occhi rimanevano tristi.

«Ciao Geira, tutto bene? Sembri un po'...» ma prima che potessi finire la frase, la voce entusiasta di Rob sovrastò la mia: «Non è pazzesco quel gigante!? Che ci fa qui?»

Geira lanciò un'occhiata quasi distratta verso l'oceano, e dopo un attimo scosse la testa. «Non ne ho idea, ma qualsiasi cosa sia non penso che siamo in pericolo: se ci fate caso, si è fermato a circa mille metri dalla costa, che è il confine stabilito dall'Alto Consiglio dei Leggendari per ogni isola magica.»

«Sarà, ma comunque non mi ispira molta sicurezza...» borbottai io.

«A proposito... come mai quello zainone, Geira? Stai andando a scalare l'Everest?» ridacchiò Rob.

Lei non solo non gli rispose, ma cambiò immediatamente discorso.

«Ci conviene muoverci, gli altri ragazzi stanno già salendo al castello. Sicuramente lassù qualcuno ci dirà cosa sta succedendo.»

Senza darci tempo per ribattere si avviò verso la scalinata scavata nella scogliera che si arrampicava fino alla fortezza.

Rob, stupito che la sua battuta fosse caduta a vuoto, mi lanciò un'occhiata confusa, ma poi scrollò le spalle e la seguì.

Che strano... pensai, mentre arrancavo sui gradini di pietra, *sono passati solo pochi giorni da quando ci siamo visti l'ultima volta, e siamo sempre rimasti in contatto via social, ma Geira e Rob sono... diversi. Qualcosa non deve essere andata per il verso giusto...*

Mi ripromisi di parlare il prima possibile con i miei amici: qualsiasi cosa fosse successa non avrei permesso che ci allontanasse. Eravamo una squadra, ora.

A metà della scalata, mi fermai per un istante a osservare nuovamente il gigante: eravamo molto più in alto di prima, ma la sua sagoma scura sembrava ancora sovrastarci. In quel momento notai che attorno alla sua testa rocciosa, ricoperta di muschio e cespugli a mo' di capelli, si aggiravano schiamazzando stormi di gabbiani.

Con un brivido di inquietudine, tornai a rivolgermi verso la scalinata e proseguii la salita.

Quando raggiunsi la fine della scala, e mi trovai sulla grande distesa d'erba davanti al castello, vidi due figure familiari in piedi sul ciglio della scogliera, a osservare il gigante che affiorava dall'oceano.

Una era Viviana, solenne come una statua, avvolta nel suo manto grigio perla. L'altra, vestita all'ultima moda e con una nuvola di riccioli neri, era Tyra. Erano intente a conversare tra loro, a bassa voce, tanto che neanche avvicinandomi riuscii a sentire cosa si dicevano. Percepivo però chiaramente la gravità dell'atmosfera che le circondava, come se emanassero ondate di preoccupazione.

Solo quando fui a qualche passo, finalmente si accorsero della nostra presenza e si girarono verso di noi.

Il volto senza tempo di Viviana era serafico come al solito, ma quello di Tyra era insolitamente teso. Vederla così mi preoccupò, perché di solito era molto sicura di sé anche nelle situazioni più difficili.

«Dama Nyneve» disse Geira, rivolgendosi a Viviana con il suo nome antico: «Cosa sta succedendo? Cos'è quel gigante? Siamo forse sotto attacco?»

«Come ho appena spiegato alla vostra compagna, non siamo in immediato pericolo» disse pacatamente Viviana, prendendosi una pausa per ponderare le parole, «ma dobbiamo comunque stare in guardia. Questo è un evento che non si è mai verificato nei mille anni in cui il mondo magico si è separato da quello reale.»

«E quindi? Che ci fa qui quel *coso*? Non ci tenga sulle spine, con tutto il rispetto, dama Viviana.» chiese Rob, agitato, ondeggiando da un piede all'altro.

Lei rimase impassibile e socchiuse lentamente le labbra per rispondere, ma Tyra la anticipò: «Sono le incantatrici» disse, con la voce spezzata dalla tensione. «Sono arrivate questa sera e hanno chiesto un'udienza all'Alto Consiglio dei Leggendari di Avalon.»

«Le incantatrici?» chiesi io, sorpresa. Ne avevo già sentito parlare, ma le uniche che avevo avuto modo di conoscere personalmente erano Morgana e la stessa Tyra.

«Gli eredi dei Leggendari non sono le uniche persone a contatto con il mondo magico» spiegò Viviana. «Ci sono persone che nascono con l'innata capacità di manipolare la materia e creare illusioni, nonostante non abbiano alcuna eredità leggendaria. Anche se, in alcuni casi, come per Tyra, queste due cose coincidono.

«Ma non corre buon sangue, tra noi e loro» aggiunse Tyra. «Sono mille anni che tra Avalon ed Eea non ci sono contatti.»

Rob si grattò il naso. «E chi sarebbe questa Eea?»

Un angolo della bocca di Viviana si contrasse leggermente in un accenno di sorriso. «Ebbene, giovane Robert, si tratta di un luogo, non di una persona. Come voi, gli eredi, trovate rifugio nell'isola di Avalon, le incantatrici e gli incantatori risiedono nell'isola di Eea.»

«Aspetta, aspetta... intendi *quella* Eea? L'isola dove viveva Circe!? La maga dell'Odissea?» esclamai io.

Viviana annuì, e Rob borbottò imbarazzato: «Beh certo, era ovvio... ovvio che si trattava di quella!»

«Stai bene, Tyra?» intervenne improvvisamente Geira, «Sembri stanca!»

Tyra esitò per un attimo, strofinandosi sotto un occhio, poi rispose: «Sento la vicinanza delle incantatrici, la loro presenza è molto forte. È come se mi chiamassero. Non è facile resistere...»

A quelle parole, Viviana le appoggiò protettivamente una mano sulla spalla. «Andiamo al castello, lì sarai un po' più schermata dalla loro influenza. Anche voi, affrettatevi: Merlino ha convocato un'assemblea ristretta a cui voi, in qualità di Guardiani della Soglia, siete invitati a partecipare.»

Quando arrivammo al castello, i miei amici e io facemmo a malapena in tempo a riporre i nostri bagagli nei dormitori e a infilarci degli abiti asciutti, che un paio di

Thrall, armature vuote comandate magicamente da Merlino, vennero a prenderci e ci scortarono fino a una sala da lettura privata, dove si trovavano Merlino e Viviana, assieme ai due cavalieri Parsifal e Galahad. Con qualche minuto di ritardo, ci raggiunse anche il nostro amico Halil, che si sedette tra me e Tyra strizzandomi l'occhio in segno di saluto.

Notai che anche lui aveva qualcosa di diverso, anche se lì per lì non seppi capire cosa. E non era il nuovo taglio di capelli all'ultima moda che sfoggiava. Era qualcosa di più profondo...

Quando ci fummo tutti, Merlino disse: «Orbene, vi ho riunito per discutere della spinosa situazione che ci si è presentata con l'arrivo della delegazione da Eea. Ma prima di affrontare il discorso delle incantatrici, che sicuramente sarà lungo e complicato… madamigella Pendrake, ha detto che aveva qualcosa da riferirci riguardo alla sua recente sparizione dalle nostre mappe? Noi vecchi brontoloni siamo ansiosi di ascoltarla!»

Io sobbalzai. Ma allora, quando avevo immaginato di rispondere al messaggio della pergamena, dando sfogo a tutta la mia frustrazione, Merlino mi aveva sentito! Che figuraccia! Sperai con tutte le mie forze di non aver detto nient'altro di comprometente e di non aver esagerato troppo con il sarcasmo, e decisi di fare finta di nulla.

«Ne ho un bel po' di cose da riferirvi!» esclamai, sporgendomi in avanti sul tavolo.

Con parole rapide e concitate, raccontai per filo e per segno, senza omettere neanche un dettaglio, quello che mi era capitato la mattina prima. Quando finii di parlare, nella stanza non volava una mosca.

Merlino si accarezzava la barba, aggrottando le sopracciglia cespugliose. Viviana teneva le mani raccolte in grembo, il volto indecifrabile, ma con una scintilla di preoccupazione nello sguardo.

Parsifal e Galahad, fieri e immobili come statue, sembravano persi nei loro pensieri.

E i miei quattro amici, Hal, Rob, Tyra e Geira, si scambiavano sguardi allarmati.

Fu Merlino infine a rompere il silenzio. «Ciò che ci ha riferito è molto grave, signorina Pendrake. Ci rammarichiamo di non essere riusciti a proteggerla e a evitarle questa brutta esperienza...»

«In compenso però ci ha dato un'informazione preziosissima!» intervenne Galahad. Poi continuò rivolgendosi direttamente a me, con un sorriso di ammirazione sul volto. «Prima di oggi, non avevamo assolutamente idea di chi facesse sparire i giovani eredi e in che modo riuscisse a mettere in atto i suoi piani. Ora, grazie a te, sappiamo che vengono rapiti nel mondo reale, da qualcuno che passa molto tempo a studiare le loro abitudini prima di colpire. Questo significa che se avvertiremo i ragazzi dell'Accademia e li metteremo in guardia sui rischi, potranno tenere gli occhi aperti, individuare ogni comportamento sospetto attorno a loro, e mettersi in salvo ad Avalon al primo segnale di pericolo.»

Merlino aggiunse, tormentandosi la punta della lunga barba bianca: «Morgana è convinta che sia Mordred a rapire i ragazzi. Se fosse veramente così, le implicazioni sarebbero a dir poco allarmanti...»

«E cioè? Cosa intende dire?» chiese Hal.

Fu Parsifal a rispondergli. «Mille anni fa, quando Mordred radunò un esercito per marciare contro Camelot e spodestare Artù, vi riuscì solo perché aveva seminato malcontento tra i giovani del regno, villaggio per villaggio, e con le sue parole infervorate li aveva convinti a unirsi a lui. Magari sta nuovamente cercando alleati tra i ragazzi...»

«Rapirmi non è servito molto a convincermi a passare dalla sua parte» intervenni io. «Se stesse davvero cercando seguaci, non dovrebbe forse usare metodi un po' più... efficaci?»

«Sono d'accordo con Angelica» disse Galahad.

«Non è ancora chiaro quali siano i suoi metodi e i suoi scopi. Ma quello che è certo è che dovremo scoprirlo al più presto, per il bene di tutti» commentò Parsifal.

Merlino appoggiò il palmo sul tavolo con decisione: «Su una cosa spero siamo tutti concordi: non possiamo assolutamente accettare la ridicola offerta di collaborazione da parte di Morgana. Non dopo che solo pochi giorni fa ha messo in pericolo gli eredi con il suo attacco alle porte di Avalon...»

«Sono d'accordo. Non possiamo fidarci di Morgana, ma al momento abbiamo un problema più urgente di cui discutere» continuò Parsifal. «Le incantatrici sono alle nostre porte e chiedono di parlamentare. Dama Nyneve, lei meglio di chiunque altro può intuire le loro intenzioni. Cosa suggerisce di fare?»

Viviana, per quanto il suo volto rimanesse impassibile come al solito, mi diede l'impressione di essere contrariata.

«Lei sa bene, Sir Parsifal, quanto incantatrici e incantatori mi detestino. E questo loro odio risale a oltre mille anni fa, quando ho eretto la barriera tra il mondo magico e quello reale. Quindi, per quanto io sia stata molto legata a loro in passato, oggigiorno la mia conoscenza dei loro piani non è più estesa della vostra.»

Rob si grattò un sopracciglio. «Ma scusate, il modo più rapido per sapere quello che vogliono, non sarebbe semplicemente... chiederglielo?»

I Leggendari rimasero interdetti. Alla fine, Merlino disse: «Beh, lei ha certamente ragione, signor Lockwood, ma sarebbe comunque un grosso rischio... A proposito, il consiglio vuole complimentarsi con lei, per essersi assunto le sue responsabilità nonostante quello che comportava. Siamo certi che sia lei che l'intera comunità ne trarrete un grande beneficio.

Guardai Rob, che mi fece cenno con il dito, come a dire 'te lo spiego dopo'.

«Vale la pena correre dei rischi per fare la cosa giusta,» intervenne intanto Geira. «In un momento difficile come questo, in cui i ragazzi continuano a sparire, non possiamo ignorare la possibilità di un'alleanza con una fazione potente come quella delle incantatrici.»

Merlino si arrotolò la punta della barba attorno all'indice. «Ebbene, anche lei ha ragione, signorina Dahlstrom. Ma noi abbiamo la responsabilità dei duecentotrenta ragazzi che contano sulla protezione delle mura di Avalon… Non è una decisione da prendere alla leggera.»

«Si tratta solo di instaurare un dialogo» intervenne Tyra. «Se non ritenete sicuro accogliere le incantatrici sull'isola, potreste mandare una delegazione a parlare con loro in territorio neutrale, magari incontrandovi su una barca in mezzo all'oceano.»

«Ciò che dici è giusto, questa era un usanza comune in tempo di guerra, nell'antica Britannia.» aggiunse Parsifal, mentre Galahad annuiva di fianco a lui.

Merlino annuì, pensieroso. «Il vostro contributo a questa discussione è stato prezioso, giovani Guardiani della Soglia. Adesso però vi chiedo di lasciare la stanza, in modo che noi membri dell'Assemblea possiamo deliberare sulla decisione da prendere.»

Avevo voglia di protestare, perché anche io avrei voluto partecipare, ma i miei amici si erano già rispettosamente alzati e si erano avviati verso la porta senza discutere. Così decisi di andare con loro senza fare storie, nonostante la sensazione di impotenza mi lasciasse l'amaro in bocca.

Guai grossi e torte di mele

Fui l'ultima a lasciare la stanza dove si era tenuto il consiglio e, dietro invito di Merlino, fui io a chiudere la massiccia porta di quercia intagliata.

«Uff... pensavo ci fossimo guadagnati sul campo il diritto di dire la nostra, non credete?» sbottai. «Geira, tu che sei più esperta di Avalon e delle sue assurde regole, che ne pensi? Non ho ragione, forse?»

Ma Geira si era già allontanata.

«È andata a riposare un po' prima della lezione. Ha detto che ha avuto una giornata pesante...» disse Tyra prevenendo la mia domanda.

«Geira stanca?» domandai stupita. «Non l'ho mai vista stanca una sola volta da quando la conosco, nemmeno nei momenti più duri prima della battaglia alle Porte...»

«Posso confermarlo» commentò Halil. «In questi anni non ha mai mostrato un attimo di debolezza o di cedimento. Acciaio puro, ragazzi!»

Tyra e io ci scambiammo uno sguardo preoccupato. Acciaio o non acciaio, Geira aveva qualcosa che non andava...

Come sempre Rob ruppe la tensione: «Che ne dite di una incursione nelle cucine? Il passaggio mi ha messo una fame tremenda!»

Scoppiai a ridere.

«Non ti smentisci mai, Robert Lockwood: pensi sempre a mangiare! Quando eri nascosto a casa mia, hai praticamente spazzolato la dispensa. I miei pensavano che mi fosse venuto il verme solitario, te lo giuro. A proposito... come vanno le cose? Non avevi l'udienza? Che cosa intendeva Merlino con quella storia della responsabilità?»

Lui alzò le spalle. «Beh, l'ho combinata bella. Non credo che i miei me la perdoneranno mai, ma va bene così. Quel che è giusto, è giusto. Tanto va la gatta al lardo che ci lascia lo zampino. E chi non risica non rosica...»

Io sbuffai: «La smetti di parlare per proverbi e ci dici come è andata? Sembri mia nonna!»

«Cosa avete contro i proverbi? Sono un'antica fonte di saggezza popolare» ridacchiò lui. «Vi racconterò tutto davanti a una torta di mele, ok?»

Su questo programma fummo tutti d'accordo. Scivolammo per i corridoi del castello con aria innocente e indaffarata, attenti a non insospettire i thrall che, da quando era comparso il gigante davanti alle coste di Avalon, pattugliavano senza sosta i corridoi.

Halil disse: «Ci vuole un piano. Quando arriviamo alle cucine, tu Angy distrai i thrall, visto che ormai li conosci uno a uno. Noi intanto entriamo, prendiamo la torta e scappiamo. D'accordo?»

Io avrei preferito stare alla larga da quei brontoloni dei thrall per un bel po', ma accettai. In effetti conoscevo il loro punto debole: la vanità.

Arrivati all'altezza della porta, un po' defilata, che conduceva alle cucine, io mi avvicinai ai due thrall che stavano venendo verso di noi dal fondo del corridoio.

Intanto Halil e Rob presero ad armeggiare con la serratura.

«Ehm, salve ragazzi... cioè intendevo dire, nobilissimi e illustrissimi thrall. Come va oggi? Vi vedo particolarmente in forma. Le vostre armature risplendono come specchi.

Ah beh, certo, le ha lucidate una professionista, modestamente. Sapete che ho saputo dalla vicina della parrucchiera di mia nonna che esiste un prodotto davvero miracoloso per lucidare i metalli? La prossima volta che vengo ve ne porto un po'. Sarete le armature più eleganti del castello, ve lo garantisco.»

Uno dei due thrall, un'armatura molto semplice e priva di decori, (le più fissate e pignole di tutte) a forza di gesti e di cigolii mi fece capire che non era affatto contenta di come gli avevo lucidato l'elmo durante la punizione di qualche giorno prima, e me lo schiaffò in mano, insieme a uno straccio di lana.

Fui costretta a lucidarglielo lì su due piedi, mentre entrambi controllavano che facessi bene il mio lavoro. Una grandissima seccatura, ma almeno raggiunsi lo scopo di distrarli, finché i miei amici mi raggiunsero portando un sacco di iuta da cui emanava un lieve profumo di mele e vaniglia.

«Angy, saluta i tuoi amici thrall, dobbiamo occuparci di quell'incarico speciale, segretissimo, prima della lezione... » disse Rob strizzandomi l'occhio.

Io salutai i thrall con un inchino rispettoso e trattenendo a fatica le risate li seguii. Come svoltammo l'angolo ci mettemmo a correre, ridendo a crepapelle. Arrivati in cortile ci trovammo un angolino tranquillo per il nostro picnic improvvisato.

«Ce la siamo vista brutta! La merenda stava per saltare» disse Rob con la bocca ancora piena di torta di mele. «La serratura era bloccata. Proprio non c'era verso di aprirla. Né io né Halil ci siamo riusciti. Per fortuna c'era Tyra!»

«Tyra? Ti metti anche tu a scassinare porte?»

«Non avevo altra scelta, o quei due ci avrebbero fatto scoprire. Saremmo stati nei guai comunque! Speriamo che dama Nyneve non si arrabbi troppo: ho dovuto usare un incantesimo...»

Quando anche l'ultima briciola di torta di mele fu divorata, Rob appoggiò la schiena al muro e disse soddisfatto: «Adesso posso raccontarvi cosa ho combinato. Ieri avevo l'udienza e i miei, che sono avvocati, avevano preparato una difesa pazzesca. Avevano praticamente convinto il giudice a lasciarmi andare senza altre conseguenze che un predicozzo e una pacca sulla spalla. Solo fino a poco tempo fa sarei stato tutto contento di averla fatta franca e avrei ricominciato a fare cavolate. Però, non so, mi è scattato qualcosa dentro... Nell'udienza prima di me, un ragazzo era stato condannato a sei mesi di lavori socialmente utili per aver rubato un videogioco. Insomma, non mi sembrava giusto che lui, solo perché è povero e non può pagarsi i migliori avvocati, avesse il massimo della pena e io me la cavassi perché ho i genitori avvocati. Così quando è stato il mio turno e il giudice dopo una bella lavata di capo mi ha detto che per questa volta potevo andare, mi sono alzato e ho detto che avevo sbagliato e che volevo la stessa pena che aveva dato al ragazzo che era appena uscito dall'aula.

E lui naturalmente mi ha accontentato.

Devo dire che sembrava molto colpito, però. Ha anche detto ai miei genitori che dovevano essere fieri di me. Sarà, ma i miei erano fu-rio-si. Non mi hanno più rivolto la parola! Credo che si vergognino di me. Li ho messi in cattiva luce con i colleghi, questo è certo...»

«Bella prova, fratello!» commentò Halil. «Di fronte ai tuoi guai, i miei diventano una passeggiata in riva al mare!»

«Pure io sono nei guai grossi con i miei. Spero che non si accorgano che sono uscita anche se ero in punizione, se no davvero non so come farò a tornare ancora ad Avalon...»

Rob indicò il gigante di pietra e ridacchiò: «Quello lì sì, che è un 'grosso guaio'! I nostri sono una cacchetta di mosca, al confronto!»

Fu allora, proprio mentre ci contorcevamo dalle risate

in preda a un liberatorio attacco di ridarola, che arrivarono i due thrall di poco prima.

Convinti che ci avessero scoperti, ci affannammo a nascondere le tracce del nostro banchetto improvvisato, ma i due erano solo stati incaricati di convocare gli studenti a una speciale conferenza che si sarebbe tenuta da lì a pochi minuti.

Nel salone del castello, al posto delle solite tavolate a cui ci sedevamo per mangiare, erano state disposte file e file di panche, e una pesante scrivania era stata posta al lato più estremo della stanza.

Là, a consultare un'alta pila di fogli di pergamena, sedeva Merlino, che ogni tanto lanciava occhiate impazienti alla sua platea, per controllare che fossimo tutti seduti.

Quando il chiacchiericcio dei ragazzi si fu spento e nel salone calò un silenzio quasi totale, Merlino si schiarì la voce e disse: «Ebbene, vi ho voluto riunire qui per questa lezione speciale a causa delle circostanze particolari in cui si sta trovando l'Accademia dei Leggendari. Tutti voi immagino avrete notato il gigantesco thrall che aspetta al confine delle nostre acque.... Sì, si tratta di un thrall.» spiegò, alzando la voce per sovrastare il mormorio sorpreso dei ragazzi. «Per quanto siano colossali le sue dimensioni, si tratta semplicemente di un simulacro controllato dalla magia. Dunque, è proprio della magia che volevo parlarvi quest'oggi: teoria della magia, per l'esattezza.»

Una ragazza minuta in prima fila alzò la mano: «Signor Merlino, mi scusi, ma ci ha sempre detto che non è costume che i misteri della magia vengano spiegati a chi non possiede capacità magiche.»

«Signorina Darc, lei fa una giusta osservazione. Ebbene, come vi ho già detto, queste sono circostanze particolari, e l'Assemblea ha deliberato che conoscere ciò che potreste trovarvi ad affrontare vi aiuterebbe in un eventuale alterco con i nostri... ospiti.»

Merlino tossicchiò, e poi aggiunse: «Ma prima di affrontare l'argomento della lezione di oggi, Sir Parsifal deve fare un annuncio a tutti voi, giovani eredi.»

Il cavaliere, che fino ad allora aveva aspettato in piedi contro la parete assieme al suo compagno d'arme, avanzò fino al centro della stanza, e per qualche secondo rimase lì a squadrarci, fiero e maestoso nella sua tunica scarlatta. Per un attimo, fui talmente incantata dal suo bel viso color del bronzo e dai suoi perfetti riccioli neri, che mi persi l'inizio del discorso:

«...sparizione dei vostri compagni negli ultimi mesi»

diceva Parsifal, «per tanto vi invitiamo a prestare la massima attenzione a qualsiasi movimento sospetto vi capiti di individuare una volta tornati nel mondo reale. Se vi accorgeste di essere seguiti, anche solo al minimo dubbio, chiudetevi in casa e avvertite l'Accademia.»

Con un breve inchino, tornò al suo posto.

Merlino si alzò nuovamente in piedi e disse: «Ebbene, iniziamo la nostra lezione... Dovete sapere che agli albori del mondo la magia permeava completamente l'universo, e non c'era distinzione tra dimensione magica e non-magica. Ma poi, con lo scorrere del tempo, come la terra si separa dalle acque, quella distinzione è lentamente venuta a crearsi. Tuttavia c'erano persone in grado non solo di entrare a piacimento nella dimensione magica, ma anche di attingere al potere in essa contenuto, e di utilizzarlo insomma per fare magie.

Ebbene, non tutti i detentori di potere magico sono uguali, alcuni sono più talentuosi, altri meno, alcuni sono particolarmente sensibili a certe forme di magia piuttosto che ad altre… ma dovete sapere che, mille anni fa, quando le porte di Avalon ancora non erano state erette, c'era un'importante distinzione fra maghi e incantatori.»

Al mormorio confuso degli studenti, Merlino si schiarì

spazientito la gola: «No signori miei, non si tratta di sinonimi. I maghi e le maghe, vedete, oltre ad avere semplicemente un potere maggiore, erano in grado di creare oggetti dal nulla, o di distruggerli completamente. Il potere di incantatori e incantatrici invece era limitato a quello che già esisteva: potevano manipolare la materia, trasformare gli oggetti, ma non crearne di nuovi né distruggere quelli già esistenti. Uno dei loro trucchetti preferiti erano infatti le illusioni: finzioni di immagini e suoni prodotti manipolando le onde luminose e sonore.

«Come quelle che usa lei per apparire nel mondo reale durane le selezioni dei Leggendari?» disse una vocetta all'angolo della sala, e subito dagli studenti si alzò una risatina collettiva.

Merlino tossicchiò imbarazzato. «In effetti, è così. Nonostante sia un mago rispettabile ormai da molti millenni, e nonostante nel mondo magico il mio potere resti invariato, da quando sono state erette le porte di Avalon la mia influenza nel mondo reale è limitata: la mia magia lo può raggiungere, ma solo sotto forma di illusioni o trucchetti minori da incantatore.»

Un altro ragazzo alzò la mano: «Quindi la creazione delle porte ha indebolito la magia?»

«Ebbene sì, come vi avevo già accennato, e stavo giusto per spiegarvi più approfonditamente, le porte di Avalon non solo hanno bloccato ai più il passaggio dal mondo reale a quello magico, ma hanno anche impedito ai maghi e alle maghe di attingere al potere della dimensione magica. Da allora, anche coloro che avrebbero avuto la capacità di creare e di distruggere, hanno visto il loro potere dimezzato, e sono diventati semplici incantatori.

«Come Morgana...» mormorai tra me e me, e Halil al mio fianco mi lanciò un'occhiata pensierosa e annuì lentamente.

«È per questo che le incantatrici dell'isola di Eea ci sono ostili» concluse Merlino, «perché l'azione di Viviana, nonostante sia stata infine appoggiata e ritenuta giusta dall'Alto Consiglio dei Leggendari, non è mai stata accettata dalle incantatrici, molte delle quali un tempo erano maghe, e hanno visto il loro potere drasticamente ridotto, e tuttora aspirano a restaurarlo.»

Per l'ultima parte della lezione, in cui Merlino rispose alle domande dei ragazzi, non prestai molta attenzione e rimasi immersa nei miei pensieri.

Provavo un certo senso di frustrazione: se tutto quello che Merlino ci aveva detto sulle incantatrici era vero, perché ancora si ostinavano a non incontrarle? Cosa avevano di tanto importante da deliberare?

Mi sembrava che, con i rapimenti ormai così frequenti, ci fosse poco tempo da perdere a discutere, e fosse necessario iniziare ad agire.

UN'ECO MALIGNA

Nonostante i miei amici e io fossimo convinti che era necessario entrare in azione al più presto, l'Alto Consiglio dei Leggendari non la pensava come noi. Passarono tutta la settimana a riunirsi, a discutere, a valutare e a soppesare i pro e i contro...

Intanto il gigante era sempre lì e sembrava sonnecchiare. Le incantatrici rimasero rinchiuse in quella che da lontano pareva una specie di serra luccicante di cristallo.

Per tutta la settimana la nostra attenzione fu calamitata dal gigante e dalle incantatrici che attendevano di parlamentare, con risultati disastrosi in tutte le materie di studio e in tutte quelle discipline che richiedevano un minimo di concentrazione, come il tiro con l'arco.

Alla fine di un allenamento particolarmente disastroso, l'istruttore dichiarò solennemente che non aveva mai visto in tanti anni di onorata carriera una peggiore accozzaglia di incapaci.

Non aveva tutti i torti: quel pomeriggio il bersaglio era rimasto intonso, mentre avevamo ridotto il prato a un puntaspilli!

Per fortuna quello fu l'ultimo allenamento di tiro con l'arco della settimana, perché arrivò una schiera di thrall che ci distribuì questo avviso.

Stimatissimi allievi, l'Assemblea degli Eroi Leggendari,
saggiamente guidata dall'illustrissimo
Myrddin detto Merlino, ha deliberato
che tutte le lezioni in programma per la settimana,
verranno sospese fino a nuovo ordine.
Tutti gli studenti sono invitati a partecipare
ai corsi intensivi di difesa personale
che si terranno nel cortile delle armi
dall'alba al tramonto.

Per tenervi occupati nel tempo libero (sempre che ve ne resti) vi dedicherete a ricerche sul vostro retaggio sotto la guida di madamigella Ipazia.

Furono i thrall stessi ad addestrarci alle tecniche di difesa personale. Si rivelarono inflessibili come il metallo delle loro armature e, ovviamente, instancabili. Il risultato fu una massa di studenti distrutti dalla fatica e un po' ammaccati, ma sicuramente più tranquilli e meno distratti dalla presenza del gigante di pietra.

Eravamo talmente stanchi che la sera non avevamo neanche la forza di chiacchierare, organizzare scappatelle alla spiaggia o spedizioni notturne nelle cucine e tantomeno riunioni varie per elaborare piani alternativi: regolarmente crollavamo tutti addormentati come sassi.

Ho il sospetto che, oltre a prevenire nuovi rapimenti, lo scopo che il Consiglio voleva ottenere fosse proprio questo: tenerci occupati per evitare che combinassimo guai o prendessimo iniziative in un momento delicato per Avalon.

Però devo ammettere che, nel mio caso, allenarmi

tutto il giorno con i thrall ebbe almeno un effetto positivo: sfogare tutto il nervosismo represso per quell'assurda situazione di stallo.

Quando al termine della settimana, dopo aver radunato i miei pochi bagagli, iniziai a scendere la scalinata del castello diretta verso le barchette che mi avrebbero riportato a casa, mi trovai davanti a una scena inaspettata.

Geira, la nostra Geira, solitamente così calma e silenziosa, stava letteralmente gridando dalla rabbia in faccia a due sconcertati Parsifal e Galahad.

Mi bloccai in cima all'ultima rampa di scale. Certo, per tutta la settimana Geira era stata più malinconica del solito, e ogni tanto aveva persino risposto in modo brusco, ma non mi sarei mai aspettata che sarebbe esplosa in quella maniera.

Ero così sbalordita che quando mi sentii appoggiare una mano sulla spalla, feci un salto per la sorpresa. Mi girai, e vidi che dietro di me c'era Tyra, che teneva a sua volta gli occhi fissi sulla scena ai piedi delle scale, e sembrava stupita e preoccupata quanto me.

«Forza, andiamo a vedere che succede.»

Quando fummo abbastanza vicine, sentii Parsifal

che diceva: «Lo sai che non puoi restare! Se dovessi fermarti ad Avalon per più di una settimana usciresti dal tempo e rischieresti di rimanere intrappolata qui per sempre, come noi e Merlino. Hai una vita da vivere, nel mondo reale.»

«Ma non ho nessun altro posto dove andare!» gridava Geira. Solo ora che li avevamo quasi raggiunti, mi accorsi con sorpresa che stava piangendo, talmente tanto che le sue guance erano lucide di lacrime.

Subito Tyra fu al suo fianco e la prese per un braccio: «Geira, che succede?» disse, lanciando un occhiataccia a Parsifal e Galahad.

Geira si asciugò frettolosamente le lacrime: «Niente... va tutto bene.»

«Non hai la faccia di una a cui va tutto bene!» dissi io.

«Geira, dovresti parlare alle tue amiche del tuo problema» aggiunse Galahad. «Noi vorremmo aiutarti, ma possiamo farlo. Forse loro sì...»

«Insomma, di che si tratta?» chiese Tyra.

Geira tirò un sospiro profondo: «Volevo restare a vivere qui. Non so dove andare una volta uscita da Avalon. L'accademia militare è finita settimana scorsa, e...»

«E, a casa tua?» chiesi io.

Per un attimo Geira tenne la bocca aperta senza rispondere, poi concluse in un soffio: «Non ci posso tornare...»

Alle sue parole Tyra sembrò rabbuiarsi e strinse ancora di più la presa sul suo braccio: «Vieni, andiamo alle barche. Ci racconterai tutto mentre scendiamo.»

«Ma non posso andare a casa...»

«Verrai a stare da me. Andiamo.»

Geira fece appena in tempo a raccogliere il proprio zaino, che Tyra iniziò a trascinarla verso l'uscita del castello.

Anche io gli trottai dietro, piuttosto confusa. «Non ho capito, che succede?»

Geira sembrava abbastanza sperduta, e si lasciava trascinare via da Tyra senza protestare. Mi lanciò una strana occhiata vacua e mi disse: «Ora che ho diciott'anni e che ho finito l'accademia militare, mio padre, che è generale, vuole che entri nell'esercito come lui... ma io non voglio. Non voglio fare il soldato... non voglio fare del male a nessuno.»

«E perché non puoi tornare a casa? Avete litigato?»

«Diciamo di sì... e non solo su questo, su tante altre

cose. Io gli ho detto che ormai ho diciott'anni e non mi possono più dire cosa devo fare o come devo essere. E loro mi hanno detto che se penso di essere adulta, allora posso cavarmela da sola, e mi hanno cacciata di casa.»

«Si dovrebbero vergognare» disse Tyra, l'espressione tempestosa. «Ma non ti devi preoccupare, Geira, potrai stare da me finché vorrai. Sicuramente le mie coinquiline non avranno niente da ridire. E se dovessero avere qualcosa da ridire... beh, ci penserò io a prenderle a calcioni!»

Nonostante tutto, le sue parole strapparono a Geira una leggera risata. Ma poi disse: «Ti ringrazio, ma... uscita dall'Oceano Magico, io mi troverò in Norvegia, e tu a Los Angeles. Non ho i soldi per il biglietto d'aereo. Come faccio a venire da te?»

«Viviana mi ha insegnato come portare con me delle altre persone durante il passaggio. In questo modo, usciremo nello stesso luogo anche se siamo entrate da passaggi diversi.»

Mentre parlavamo eravamo arrivate alla spiaggia. Di solito prima di salire sulle barchette che mi avrebbero riportata a casa, mi prendevo un po' di tempo per scambiare due parole con i miei amici e i compagni dell'accademia, che non avrei rivisto per tutta la settimana. Ma quella volta mi limitai a salutarli frettolosamente con la mano, e salii sulla stessa barca di Tyra e Geira, che fu una delle prime a staccarsi dalla costa.

Geira era tornata silenziosa e teneva lo sguardo fisso sui propri piedi, con gli occhi ancora un po' rossi per aver pianto. Tyra le teneva protettivamente un braccio attorno alle spalle, cosa piuttosto buffa da vedere perché era molto più piccina di lei, e intanto cercava di rassicurarla: «Vedrai, ti piacerà un sacco Los Angeles, ti porterò a vedere tutti i miei posti preferiti, potremmo passare tutto il tempo in spiaggia, e poi ci sono un sacco di ristorantini carini dove mangiare. Ce n'è uno specialissimo che hanno appena aperto sotto casa mia... Anche le mie coinquiline ti piaceranno, sono davvero forti! Inoltre loro studiano moda al college con me. Sono un po' pettegole ma fanno morire dal ridere...»

Mentre Tyra parlava, le nebbie attorno a noi si infittivano. Sapevo che presto le mie amiche ne sarebbero state inghiottite fino a scomparire, trasportate magicamente al di là del passaggio, e io sarei riemersa da sola sul lago di Central Park.

Così, di slancio, buttai le braccia attorno al collo di Geira in un rapido abbraccio «Andrà tutto bene, vedrai» le dissi frettolosamente, «io e gli altri non ti abbandoneremo...»

Io sentii la mano di Geira che, esitante, mi si appoggiava tra le scapole ricambiando il mio abbraccio, ma dopo qualche secondo la pressione del suo palmo si fece inconsistente, e le mie braccia che prima circondavano le sue spalle affondarono nella nebbia.

Mi guardai attorno: ero da sola.

Dopo un attimo, le nebbie attorno a me si diradarono, e mi trovai nel lago di Central Park, tinto di rosa dal sole appena sorto.

Tornare a casa in fretta e furia, con l'ansia di non far scoprire ai miei genitori che ero uscita anche se ero in punizione, fu solo l'assaggio di quanto mi aspettava la settimana successiva...

La scuola stava per finire, avevo pochissimo tempo per rimediare ai miei votacci e dovevo studiare il triplo del normale. E il tempo tra una lezione e l'altra, lo passai a inseguire la professoressa di matematica, per implorarla di darmi un'ultima possibilità di ridare la verifica che avevo saltato.

Per convincerla, la mia giustificazione si faceva di volta in volta più tragica: se lunedì le avevo detto che quel giorno non ero venuta a scuola perché "non stavo bene", a metà settimana ero "stata portata all'ospedale in preda a forti nausee" e ora di venerdì "per salvare una vecchietta che stava per essere scippata ero stata buttata per terra dal malvivente, avevo battuto la testa, e in preda alle nausee causate da una grave concussione ero stata portata di corsa all'ospedale".

Le mie scuse sempre più creative, però, non sembravano servire ad altro che a farla spazientire...

A causa della punizione, dovevo tornare direttamente a casa dopo la scuola e non uscirne più se non per andare a scuola il giorno successivo.

Devo ammettere che, visto che i miei genitori non erano mai a casa e non si sarebbero accorti se avessi disobbedito, fui tentata più volte di darmi alla fuga e farmi una passeggiata in città. Ma decisi di starmene buona, perché già avrei dovuto sgattaiolare via di casa venerdì sera per andare ad Avalon, e preferii non tentare la sorte per qualcosa di meno importante.

Per fortuna, c'erano i miei amici Maggie e Nate che mi aiutavano a non impazzire e venivano a casa mia quasi tutti i giorni per aiutarmi a studiare. E anche se io avrei preferito passare il tempo con loro a chiacchierare o giocare ai videogiochi, entrambi erano molto diligenti e insistevano a darmi ripetizioni.

Con i miei amici di Avalon, rimasi in contatto sui social: Halil manteneva aggiornata la sua pagina con una stringa quasi ininterrotta di selfie di se stesso in palestra, in giro per le vie di Berlino, o per mano alla sua ragazza (e, per altro, una serie di post strappalacrime del giovedì sera annunciò al mondo che si erano lasciati).

Con Rob invece mi messaggiavo praticamente senza sosta: io mi lamentavo della mia tragica situazione, e lui cercava di tirarmi su il morale con le immagini più stupide che riusciva a trovare su internet.

Tyra e Geira sembravano passarsela bene: Tyra aveva iniziato una serie di storie sulla propria pagina in cui il tema principale era lei che mostrava Los Angeles alla sua nuova "amica europea", come continuava a chiamarla.

Mi sembrò un po' strano che non usasse mai il suo nome, e che nelle foto in cui comparivano entrambe Geira fosse sempre girata di spalle o con i lunghi capelli biondi a nasconderle il viso. Ma poi pensai che forse, visto che come me non era molto attiva sui social, magari era intimidita dai due milioni di followers di Tyra e preferiva rimanere anonima.

In quella settimana così intensa e così concentrata sui problemi del mondo reale, quello che accadde venerdì mi colse completamente di sorpresa.

Ero intenta a preparare lo zaino per il mio rientro ad Avalon, infilandoci i vestiti di ricambio, un paio di batterie portatili, e un bel po' carta igienica (che al castello tragicamente continuava a mancare), quando all'improvviso iniziai a provare una sensazione spiacevole...

Era quel genere di nervosismo che ti senti addosso prima dello scoppio di un grosso temporale, quando il cielo si fa sempre più pesante, l'aria sempre più elettrica, ma ancora si ostina a non piovere, e tu tieni gli occhi fissi in alto in attesa della prima goccia che rompa quella tensione che a un certo punto diventa quasi insopportabile.

Ecco, quella sensazione si fece sempre più chiara e insistente, tanto che a un certo punto mollai quello che stavo facendo e andai ad aprire la finestra, aspettandomi di vedere un cielo tempestoso.

E invece il sole splendeva, tiepido per l'avanzare della sera.

Questo però non mi tranquillizzò affatto.

Anzi, rimasi incollata dov'ero, come in attesa di qualcosa che stava per accadere da un istante all'altro...

All'improvviso, senza una ragione apparente, un brivido di terrore mi attraversò dalla pianta dei piedi alla cima dei capelli.

E in quel momento, davanti a me, il cielo fu percorso da una specie di sospiro verdastro, qualcosa a metà strada tra una scia di fumo e quello strano tremolio di luce che si vede sull'asfalto nelle giornate particolarmente calde.

Attraversò l'aria come un'onda, con la rapidità di un'esplosione silenziosa.

In un istante svanì, lasciandomi inspiegabilmente terrorizzata e con le mani che tremavano.

Abbandonai la finestra e mi lasciai cadere sul letto.

«Cosa diavolo era?» dissi tra me mentre cercavo di calmarmi. «L'avrò vista davvero o mi sono immaginata tutto?»

Fu allora che sentii una strana forza sorgere in me,

come una vampata di determinazione.

E, con un lampo di luce bianca, tra le mie mani apparvero le due metà di una spada spezzata.

Era Excalibur.

Rimasi stupita a guardarla, senza sapere perché fosse apparsa: da quando poche settimane prima l'avevo recuperata dalle mani di Artù addormentato, non ero mai riuscita a evocarla. Ma anche se non ero stata io a chiamarla e non conoscevo il motivo per cui era comparsa, di una cosa ero certa: qualsiasi cosa fosse appena successa là fuori, Excalibur voleva che fossi io a fermarla.

Le Tre Serene

Quando quella notte tornai ad Avalon, ebbi subito la prova che non mi ero immaginata tutto... Rob mi aspettava seduto sulla scalinata che portava al castello e come mi vide saltò in piedi e mi corse incontro, agitatissimo.

«Angy, accidenti, questa te la devo proprio raccontare: mi sa che troppi videogiochi mi stanno friggendo il cervello! Questa sera, ho visto una strana luce verde nel cielo. E i miei amici che erano con me non hanno visto nulla, quindi ho le allucinazioni. È ufficiale: i miei neuroni sono completamente andati!» disse con una risatina nervosa.

Prima che potessi intervenire, aggiunse: «A dire la verità, ci scherzo su ma è stato veramente spaventoso. E non so dire perché, in realtà era solo una luce, ma mi ha lasciato addosso una bruttissima sensazione. Cavolo, guarda le mie mani: sto ancora un po' tremando...»

«Rob, mi sa che non te lo sei immaginato, l'ho vista anche io! E non è tutto... subito dopo, è comparsa Excalibur, senza che io la chiamassi!»

Rob si passò una mano tra i capelli rossi. «Wow! Cosa vorrà dire, secondo te?»

Non feci in tempo a rispondergli, perché sentii chiamare i nostri nomi. Mi girai e vidi Halil attraversare la spiaggia correndo, e raggiungerci con un sorriso.

«Ragazzi, dovete venire con me, Merlino ha chiesto di noi. Tyra e Geira sono già là.»

«Come mai? Ha forse qualcosa a che fare con quella strana luce verde che io e Rob abbiamo visto prima di partire?»

Hal si fece improvvisamente serio. «L'avete vista anche voi, dunque... Non so nulla di certo, ma non penso che sia una coincidenza. Muoviamoci però, mi hanno detto che dobbiamo fare in fretta.»

Facendoci cenno di seguirlo, avanzò verso una delle barchette arenate sulla spiaggia, e la spinse in acqua.

Io lanciai uno sguardo verso gli altri ragazzi, che stavano ancora approdando e salendo verso il castello.

«Ma come, torniamo verso il mare?»

«A quanto pare. Ma non ne so molto più di te, faccio solo quello che mi ha detto Merlino...»

Quando fummo saliti tutti e tre sulla barchetta, questa si staccò dolcemente dalla riva e prese a ondeggiare verso il largo. Invece di allontanarsi dall'isola, però, proseguì costeggiandola, quasi la volesse aggirare.

Impiegai un po' a capire che ci stavamo dirigendo verso il gigante di pietra delle incantatrici, che ancora attendeva al largo, immobile, come era rimasto da quando l'avevo visto la prima volta.

Non feci in tempo a dar voce alla mia sorpresa, che notai altre due barchette che aspettavano a metà strada tra l'isola e il gigante. Su una c'erano Tyra e Geira, sull'altra Merlino. Nessuno di loro parlava e sopra le barche aleggiava un'atmosfera greve, che si faceva sempre più palpabile man mano che ci avvicinavamo a loro.

Non riuscii a trattenere la mia curiosità nervosa. Appena fummo a portata d'orecchio, gridai: «Cosa sta succedendo?»

Merlino attese che li raggiungessimo prima di rispondermi: «Signorina Pendrake, purtroppo gli avvenimenti recenti ci costringono all'azione. Immagino che anche lei, come gli altri suoi compagni, e tutti noi qui ad Avalon, abbia percepito l'eco del potente incantesimo che è arrivato a toccare persino la dimensione non-magica...»

«Quella *roba* era un incantesimo? » esclamò Rob.

«Ebbene sì, signor Lockwood. Ancora non ne conosciamo la natura precisa, ma è chiaro a tutti che è stato lanciato con un'intenzione maligna. Speriamo che un colloquio con le incantatrici possa far luce su tutta la faccenda.»

«Quindi stiamo veramente andando a incontrarci con loro!» mormorò Hal.

«Purtroppo siamo costretti a farlo. Parsifal e Galahad rimarranno al castello assieme a Viviana per proteggere gli altri eredi, ma voi, in qualità di Guardiani della Soglia, mi accompagnerete.»

Appena Merlino finì di parlare, fece un gesto imperioso con la mano, e tutte e tre le barchette ripresero a muoversi verso il largo, in direzione del gigante.

Più mi avvicinavo, più mi rendevo conto di quanto fosse imponente: solo il suo busto avrebbe potuto sovrastare il grattacielo più alto di New York.

Lentamente, il gigante abbassò il braccio che sorreggeva la strana cupola lucente. Era composta da pannelli trasparenti e traslucidi, simili a vetro, racchiusi in una sorta di gabbia metallica, intrecciata in motivi decorativi che ricordavano i rami di un albero.

Il gigante abbassò la mano fino a sfiorare l'acqua dell'oceano con le nocche. Qualche istante dopo, una delle lastre trasparenti si dissolse lasciando aperto un ingresso.

Le nostre barchette continuarono ad avanzare, finché andarono a cozzare contro le dita di pietra del gigante.

A quella distanza ravvicinata, la cupola ci apparve come realmente era: alta circa come una casa di due piani.

Appena ci fummo arrampicati sul palmo aperto del gigante, dall'ingresso che si era aperto a lato della cupola, uscì l'eco di una voce femminile: «Benvenuti. Accomodatevi, le tre Serene vi stanno aspettando.»

«Chi sono le tre Serene?» chiesi ad Hal a bassa voce, ma lui mi lanciò uno sguardo confuso e scrollò le spalle.

Fu Merlino a rispondermi al suo posto.

«Seguitemi, giovani Leggendari, e lo scoprirete da voi. Ma mi raccomando, non fatevi ingannare dalle apparenze: le tre Serene sono molto diverse da come sembrano...»

Noi ci scambiammo uno sguardo allarmato, ma dopo un attimo di esitazione lo seguimmo.

Oltre la soglia, si aprì davanti ai miei occhi uno spettacolo incredibile, che mi lasciò senza parole.

Sotto la cupola cresceva un magnifico giardino.

Una distesa di erba verde, tagliata corta e precisa come in un prato inglese, era attraversata da una fila di querce maestose, dai rami intricati e dalle ampie chiome rigogliose, che si innalzavano fino al soffitto della cupola e gettavano la loro ombra su un sentiero di ghiaia candida, fiancheggiato da cespugli di rose rosse.

Tra il verde delle fronde, svolazzavano grandi farfalle dalle ali azzurre.

«Wow!» esclamò Rob, naso per aria.

«L'hai detto» balbettai io.

«Non vi attardate!» ci ammonì Merlino, che già si era avviato lungo il sentiero assieme ai nostri amici.

Io e Rob ci affrettammo a seguirli.

Dopo qualche metro, il giardino si aprì in un piccolo spiazzo erboso, dove tre donne con ampi cappelli piumati, che sembravano uscite da una stampa liberty, erano intente a prendere il caffè sedute a un tavolino in ferro battuto.

«Benvenuti» disse la signora al centro, che indossava un abito azzurro confetto. «Molto piacere, sono Serena Gastani-Pavone.»

Alla sua destra, la signora in abito rosso si presentò con

un cenno del capo. «E io Serenella Argenti, molto lieta!»
E alla sua sinistra, quella vestita di verde, dopo aver tratto un sorso dalla propria tazzina, aggiunse: «E io mi chiamo Sereine LaFontaine. Enchanté.»

«Madamigelle, è un piacere fare la vostra conoscenza» disse Merlino con un breve inchino.

«Ci chiedevamo quando vi sareste degnati di incontrarci» disse Serenella, alzando un sopracciglio sottile. «Sono due settimane ormai che vi aspettiamo… e nonostante il tempo per noi non abbia molto significato, le faccende di cui vogliamo discutere sono a dir poco urgenti.»

«Immagino che siate qui perché avete sentito anche voi l'eco dell'incantesimo» disse Sereine. «È stato abbastanza potente da poter essere percepito anche da chi non fosse già in ascolto…»

«È arrivato anche a toccare il mondo reale» disse Tyra. «Anche i miei amici, che sono eredi ma non hanno poteri magici, sono riusciti a sentirlo.»

«Aspetta, aspetta, aspetta!» esclamò Rob, «Eco dell'incantesimo? Qualcuno mi spiega cosa cavolo vuol dire?»

«Vedo che i ragazzi di Avalon non sono molto ferrati sulla magia» disse Serena, sorseggiando il proprio caffè.

Merlino tossicchiò, indignato. «Non riteniamo opportuno che gli eredi sappiano più di ciò che è necessario alla loro sopravvivenza. Solo chi di loro si rivela essere un incantatore o un'incantatrice, riceve un'educazione magica vera e propria.»

Poi si girò verso Rob. «Per rispondere alla sua domanda, giovane Robert, deve sapere che ogni incantesimo lascia una traccia, una "eco" appunto. Solitamente è quasi impercettibile e può essere captata solo da chi compie a sua volta un incantesimo di ascolto, che permette di capirne la natura e la provenienza geografica.»

«È da mesi ormai che le incantatrici di Eea lanciano continuamente incantesimi di ascolto» aggiunse Sereine, «come favore personale a una nostra amica di lunga data… Morgaine Lefay.»

«Cosa? State aiutando Morgana?» esclamai io.

«E lei sta aiutando noi, o per lo meno, visto che è stata bandita dal mondo magico, quelli di noi che sono ancora liberi di muoversi nel mondo reale.»

«E voi non lo siete?» chiese Halil.

«Come voi eredi dei Leggendari, anche le incantatrici e gli incantatori nati dopo la creazione delle Porte di Avalon appartengono a entrambi i mondi. E come voi, anche noi, se rimaniamo troppo a lungo nella dimensione magica, rimaniamo intrappolati fuori dal tempo e non possiamo più tornare indietro» spiegò Serenella. «Noi tre un tempo eravamo le incantatrici più brillanti della nostra generazione. Ma purtroppo nel marzo del 1915...»

«Maggio, mia cara!» la corresse Serena. «Nel maggio del 1915 la Grande Guerra ci raggiunse e noi fummo costrette a rifugiarci a Eea. Purtroppo vi rimanemmo troppo a lungo e non potemmo più tornare nel mondo reale.»

Tyra aggrottò le sopracciglia. «E come avete fatto a passare, se è Viviana a controllare le porte di Avalon?»

«Non vi sveleremo certo qui e ora tutti i segreti di Eea» disse Sereine, addentando graziosamente un biscottino.

«E allora perché siete qui? Arrivate al dunque!» tagliò corto Geira.

Serenella si aggiustò la falda del cappello piumato. «Come sono irruenti le ragazze del nuovo millennio... ebbene, come stavamo dicendo, su richiesta di Morgaine ci siamo messe in ascolto e abbiamo captato una serie di incantesimi lanciati tutti dalla stessa persona. Siamo abbastanza certi che si tratti di Mordred.»

«Mordred... che cosa vuole fare?» chiese Halil.

«Gli incantesimi che ha lanciato erano incantesimi di

ricerca, volti a trovare un oggetto ben preciso. All'inizio non sapevamo cosa fosse» rispose Serena, «ma, mano a mano che il raggio degli incantesimi si restringeva, e chi li lanciava si avvicinava sempre di più alla propria preda, siamo riusciti anche noi a capire l'oggetto della sua ricerca.»

Si interruppe e sul suo viso, che fino a quel momento era stato altezzoso e impassibile, lessi un'ondata di preoccupazione.

«Ebbene?» la incalzò Merlino.

Le tre Serene si scambiarono uno sguardo allarmato, e si girarono verso di noi: «Mordred sta cercando la Pietra Nera.»

Armi
di eroi sconfitti

Quelle parole sembrarono restare lì per un attimo sospese per aria.

La Pietra Nera...

Merlino non disse niente. Si limitò ad accarezzarsi pensoso la lunga barba. Ma io lessi nei suoi occhi spalancati qualcosa che non avevo mai visto prima: paura.

Noi ci scambiammo uno sguardo smarrito.

«Cos'è la Pietra Nera?» chiese dopo qualche secondo Tyra, senza riuscire a nascondere la curiosità nel suo tono di voce.

«È un artefatto molto potente...» rispose Serena con un sospiro. «È in grado di assorbire e concentrare su di sé, come un catalizzatore, il potere magico altrui. E, cosa peggiore, può riversare tutto il potere immagazzinato su chi la possiede, amplificandolo a dismisura. Sappiamo con certezza che in passato è stata usata per compiere incantesimi che neanche i maghi più potenti sarebbero riusciti a fare da soli...»

Serenella proseguì, torcendosi le mani affusolate, dalle unghie dipinte di rosso vivo. «È per questo motivo che il Consiglio dei Maghi e degli Incantatori l'aveva fatta sparire, molti secoli fa, occultandola in un luogo sconosciuto a tutti, anche a coloro che si erano occupati di nasconderla, a cui fu cancellata la memoria. Era troppo pericolosa e nelle mani sbagliate poteva diventare un'arma potentissima, in grado di prosciugare il potere di tutti gli incantatori...»

«E secondo voi, come vorrebbe usarla Mordred? Così, giusto per sapere che cosa aspettarci, stavolta...» chiesi io, con la voce che suonava un po' stridula per la tensione.

«Mi spiace ragazza. Non sappiamo nulla dei suoi scopi. Dovreste chiedere a Morgaine: è sicuramente più informata di noi, perché nelle ultime settimane si è messa assiduamente alla ricerca di Mordred, ma neanche lei sa con certezza dove si trovi o cosa abbia in mente.»

Merlino tossicchiò. «Preferiremmo limitare il più possibile i contatti dei ragazzi con Morgana. Benché abbia recentemente salvato la signorina Pendrake da un rapimento, non ci fidiamo di lei. Come certo saprete, ha recentemente attaccato Avalon...»

Le Tre Serene appoggiarono le loro tazzine in perfetta sincronia.

«Se volete scusarci un attimo...» mormorarono in coro.

Si alzarono con grazia un po' affettata e, dopo essersi allontanate di qualche passo, iniziarono a parlottare tra loro in cerchio, le teste vicinissime.

Mi ricordarono le squadre sportive, quando si raggruppano per stabilire la strategia prima di una partita. Mi aspettavo quasi che lanciassero il loro grido di guerra per motivarsi. Qualcosa tipo: "Siamo tre, siamo sorelle, ne vedrete delle belle!"

Ma ovviamente non fecero niente del genere.

Dopo qualche istante si voltarono verso di noi e Serena parlò a nome di tutte.

«Noi dobbiamo rientrare immediatamente a Eea: è richiesto con urgenza il nostro contributo per terminare l'incantesimo di ricerca. Per colpa delle vostre incomprensibili lungaggini abbiamo rimandato anche troppo il nostro ritorno. L'unica soluzione è che qualcuno di voi venga con noi a Eea, così saprete immediatamente dove si trova la Pietra Nera senza bisogno di altre ambascerie da parte nostra. In questo modo eviteremo di perdere tutti altro tempo prezioso.»

Merlino tacque qualche istante arrotolandosi la punta di un baffo, poi rispose, con un breve inchino: «Gentili signore, vi siamo grati del contributo. Vista la gravità della situazione, comprenderete se ci ritiriamo ad Avalon per discutere tra di noi. Dobbiamo riflettere. Vi faremo avere la nostra risposta entro tre ore. Intanto vi porgo i nostri più sentiti rispetti e vi auguro un buon rientro a Eea.»

Poi girò sui tacchi e con un cenno ci ordinò di seguirlo.

Io fui l'ultima ad accodarmi a lui, perché mi pareva di avere ancora tante cose da chiedere alle tre Serene... Un attimo prima di uscire mi voltai indietro e loro mi fecero 'ciao ciao' con la mano come delle innocue zie un po' stravaganti.

Per tutto il breve tragitto di rientro al castello, Merlino rimase di umore pessimo. Stava sulla prua, a braccia incrociate e borbottava ogni tanto qualcosa, sbuffando mozziconi di frasi.

«Non intendo sottostare... sciocchi capricci... incantatrici infide... manie di grandezza...»

Aveva da ridire contro tutto e tutti: Morgana, Mordred, i giganti di pietra, i tempi moderni, la torta di mele di quella mattina che era troppo cotta, i thrall che non erano più quelli di una volta, ma soprattutto contro le Tre Serene e le loro arie d'importanza...

Io lanciai uno sguardo interrogativo a Geira e Halil che lo conoscevano meglio.

«Ma che ha?» sussurrai.

«Non preoccuparti, fa sempre così quando è contrariato ed è costretto a prendere decisioni che non gli piacciono...» rispose sottovoce Halil.

«Scommetto che la decisione che non gli piace ha a che fare con il fatto di mandare qualcuno a Eea...» feci io.

«Sono pronta a scommettere che saremo noi ad andare» continuò Geira. «Del resto, non ci sono molte alternative, purtroppo: qualcuno deve restare qui in difesa di Avalon e degli altri eredi.»

E in effetti la previsione di Geira si rivelò esatta.

Come fummo sbarcati Merlino ordinò: «Guardiani della Soglia, andate nelle vostre camerate, riposatevi, sistemate le vostre cose, rifocillatevi. Farò preparare una buona colazione. Con una torta migliore di quella che ho assaggiato io stamattina, non temete! A proposito... non crediate che non abbia saputo della vostra bravata della scorsa settimana: la torta di mele sparita era destinata a me in persona: me la faccio preparare apposta con un goccio di rhum. Comunque, preparatevi a ripartire subito. Andrete in delegazione a Eea. Trovatevi qui alla spiaggia tra tre ore esatte: viaggerete con le incantatrici sul gigante di pietra. Sarà un'esperienza molto interessante, vedrete!»

Fece qualche passo vero il castello, poi sembrò ripensarci e tornò a voltarsi verso di noi.

«Sarete la delegazione ufficiale di Avalon. Mi raccomando, comportatevi bene. Ah, signorina Dahlstrom, prima di arrivare a Eea, ricordi ai suoi compagni le norme di sicurezza da tenere durante le trasferte nei luoghi magici. Non c'è stato tempo di istruire a dovere i nuovi venuti...»

Mentre Merlino, Parsifal, Galahad e Viviana si diressero a grandi passi verso il castello, discutendo animatamente tra loro, noi ce la prendemmo comoda.

Avevamo ben tre ore libere tutte per noi e, credetemi, all'Accademia degli Eroi Leggendari di Avalon è un vero lusso: in tutti quei mesi non era mai successo.

Ci guardammo negli occhi. Non potevamo sprecare quell'occasione riposando o facendo colazione!

«Che si fa, ragazzi? Nuotata alla caletta? Gara di tuffi? Grigliatina di pesce?» propose Halil.

«Ho un'idea migliore» propose Tyra. «Muoio dalla voglia di esplorare le grotte che si trovano dall'altro lato dell'isola. L'altra notte ero in cima alle mura che aspettavo di incontrarmi con Viviana e mi è sembrato di vedere delle luci. Vi va? Magari c'è un passaggio segreto per il castello...»

«Io ci sto! E speriamo che porti direttamente alle cucine, così la prossima volta che abbiamo voglia di un po' di torta di mele non ci beccano!» esclamò Rob.

A quel punto fummo tutti d'accordo con il programma 'esplorazione grotte'. Anche se io mi sarei volentieri spaparanzata a far niente sulla spiaggia, mi aggregai al gruppo: in fondo era una buona occasione per stare insieme ai miei amici a ridere e scherzare senza adulti in giro.

Mezz'ora dopo eravamo all'interno delle grotte.

Tyra apriva la fila e ci faceva luce con una fiammella di luce blu che si era fatta comparire sul palmo della mano destra.

«Wow! Hai fatto progressi!» commentai sbalordita.

«Sì, tutte le lezioni extra con Viviana sono servite! Però non ti impressionare, è solo un'illusione di primo livello...»

«Beh, non ti lamentare: se salta la luce, può sempre farti comodo, no?» ridacchiò Halil.

«No purtroppo, neanche quello. Non posso usare la magia nel mondo reale, è proibitissimo, per lo meno agli studenti! Ma non sai quanto mi farebbe comodo, a volte...»

«Sei proprio sicura di non potere? Neanche se è per aiutare un'amica?» le chiesi con voce implorante. «Perché sai, mi farebbe proprio comodo un po' di magia. Per la serie: stanza, riordinati! Oppure: equazione, risolviti! O anche: relazione, scriviti! Sicura sicura sicura che non puoi? Sono nei guai fino al collo con la scuola...»

«Non vale, anche a me farebbe comodo! Non hai idea di quanta immondizia mi tocchi trasportare in questi giorni per il mio servizio sociale...» aggiunse Rob ridendo. «Lo so, lo so, non dite niente, me la sono cercata! Ma non vi dico la puzza: non conosci un incantesimo tappa-naso per caso? O una illusione al profumo di rose?»

Ridendo fino alle lacrime arrivammo fino in fondo a un cunicolo che si apriva in una specie di ampia caverna sotterranea, dove stalattiti e stalagmiti si riunivano a formare una sorta di colonnato dal colore ambrato. Dal centro della volta sbucavano delle intricate radici che si intrecciavano a formare una bizzarra decorazione.

Un istante dopo le risate e le grida di meraviglia si spensero di colpo: il fondo di quella enorme caverna era cosparso di armi spezzate, annerite dal fuoco e coperte di fango. Sembravano armi che avevano sostenuto una battaglia e l'avevano persa. Armi di eroi sconfitti.

Sentii una morsa di tristezza stringermi il petto.

Lungo le pareti, invece, inglobate in lastre di cristallo di rocca trasparente, riconobbi le nostre armi magiche: lo scudo di Lagertha, l'arco di Robin, la lancia di Europa e la spada spezzata di Artù, la mia Excalibur...

«Ma dove siamo finiti?» domandai sbalordita. «E cosa ci fanno qui le nostre armi?».

La mia voce rimbombò cupa nella caverna.

Geira sfiorò con una mano la parete di cristallo che proteggeva la sua arma magica. «Secondo i miei calcoli, ci troviamo proprio sotto il cortile delle investiture, quello che viene chiamato il Cuore di Avalon. Quelle sul soffitto devono essere le radici del Melo Millenario, quello che è proprio al centro del cortile, ricordate? Insomma penso che questo luogo sia lo Scrigno, il mitico luogo dove sono custodite le armi magiche degli Eroi Leggendari. Ne avevo sentito parlare, ma non pensavo esistesse davvero...»

Poi Geira si inginocchiò a terra e raccolse i due monconi di un'antica ascia di guerra. «Questa è l'arma del Leggendario Motzeyouf, l'arma magica di Namid. Che cosa ci fa qui, abbandonata? E perché è spezzata?»

«Non lo so, è molto strano» disse Tyra. «Ma ora è meglio se andiamo, ragazzi: sono passate quasi due ore e le Tre Serene ci aspettano...»

Ci avviammo per ritornare al castello, ma questa volta il nostro cammino fu silenzioso.

I nostri cuori erano pesanti e le nostre menti piene di pensieri cupi e di dubbi.

Avrei voluto chiedere spiegazioni, ma quando arrivammo sulla spiaggia, giusto in tempo per salire sulle imbarcazioni che ci avrebbero condotti al gigante di pietra, non c'era nessuno a cui chiedere spiegazioni.

Le domande che ci assillavano per il momento non avrebbero trovato risposta...

In viaggio sul Gigante

Il gigante avanzava a passi lenti e pesanti, sollevando enormi onde, che si infrangevano contro il suo torace di pietra con alti spruzzi di schiuma salata.
Uno stormo di gabbiani si aggirava gracchiando attorno alla sua testa, posandosi di tanto in tanto sul suo naso o sulle spalle.
L'avranno scambiato per una strana isola semovente... pensai con un sorriso, mentre ascoltavo i loro schiamazzi seduta fuori dalla cupola, con la schiena appoggiata alla parete di cristallo e l'oceano scintillante davanti a me.
Navigavamo ormai da ore su quel bizzarro mezzo di trasporto e io cominciavo ad annoiarmi un po'.

Per tutto quel tempo, le Tre Serene, tenendosi per mano attorno al loro tavolino da caffè, avevano recitato senza interruzione l'incantesimo necessario a muovere il gigante. Ci avevano fatto sapere che non potevano interrompersi e non dovevano essere disturbate per nessun motivo, perché l'incantesimo richiedeva tutta la loro concentrazione.

Insomma, in poche parole, ci avevano gentilmente invitato a stare fuori dai piedi...

Quindi, dato che nessuno di noi aveva l'intenzione di contrariare tre potenti incantatrici, prima avevamo gironzolato un po' nel giardino interno, poi ci eravamo sdraiati sull'erba a chiacchierare tra noi a bassa voce.

Quando le chiacchiere si erano smorzate ed eravamo entrati nella fase "pisolino collettivo", avevo deciso di andare a prendere una boccata d'aria e mi ero seduta sulla mano del gigante, con i piedi a penzoloni nel vuoto.

Dopo un po', di fianco a me si smaterializzò uno spicchio di cupola e dal passaggio uscì Hal, che si guardò attorno con le mani sui fianchi e inspirò una gran boccata d'aria. «Ah, che profumo d'oceano, si capisce che siamo in alto mare. Non come Avalon, che puzza un po' di pesce...»

«È vero! Pesce e alga umida!» ridacchiai io.

Hal si sedette di fianco a me. «Le Serene hanno detto che manca poco ad arrivare. Ma non so se fidarmi: per loro il tempo è un concetto relativo, vivono nel mondo magico!»

Cadde il silenzio e dopo qualche lungo istante, giusto per fare conversazione, gli chiesi: «Stai bene, Hal? Ho visto che tu e la tua ragazza vi siete lasciati...»

Lui si strofinò il naso, un po' imbarazzato.

«Sì, sì, io sto bene, non stavamo insieme da tanto. È lei che ci è rimasta male, perché non si aspettava che la lasciassi. Ma che ci vuoi fare...»

Stavo pensando se chiedergli o meno per quale motivo l'avesse lasciata perché, lo confesso, ero curiosissima, ma nello stesso tempo non volevo sembrare una ficcanaso, quando un potente rombo di tuono mi fece sobbalzare.

Alzai lo sguardo. Un minaccioso ammasso di nubi nere si andava addensando proprio sopra la testa del gigante e in pochi istanti coprì completamente il sole.

Calò un freddo improvviso e i gabbiani cessarono di colpo i loro schiamazzi.

«Ma che cavolo sta succedendo?» esclamai inquieta, mentre intorno a noi iniziavano a cadere lente e pesanti gocce di pioggia.

Hal si alzò in piedi, le sopracciglia scure aggrottate.

«Non lo so, ma non sembra nulla di buono...»

In quel momento, la cupola si aprì di nuovo e Tyra sporse fuori la testa. Per un attimo rimase a osservare corrucciata il cielo turbinante, con il vento che le agitava i riccioli neri.

«Forse dovreste rientrare...» disse infine.

«Come mai? Le Serene hanno detto qualcosa?»

«Solo di venire a controllare: hanno percepito un grave pericolo in arrivo. E lo sento anche io...»

Aveva appena finito di parlare, che un lampo viola saettò giù dal turbine di nuvole e colpì l'oceano con un boato crepitante, spandendo un velo di scintille a pelo dell'acqua.

Il gigante incespicò e io fui costretta ad aggrapparmi con entrambe le mani al suo dito di pietra per non cadere.

«Oh, accidenti...» disse Hal, guardando in basso.

Io seguii il suo sguardo e vidi che l'acqua davanti al gigante si agitava, ribolliva e diventava sempre più nera, come se sul fondo dell'oceano si fosse rotto un enorme palloncino pieno d'inchiostro.

Io mi girai verso i miei amici: «Ma che...»

Fu allora che un'enorme chela di granchio, grigia e viscida, uscì dall'acqua sollevando spruzzi altissimi, e si lanciò verso di noi, tagliente e minacciosa come un'enorme tenaglia. La chela stava per colpirci ma, all'ultimo istante, il gigante tirò fuori dall'acqua l'altro braccio e con una velocità insospettabile riuscì ad afferrarla. Allora, dall'oceano ribollente emerse il corpo bitorzoluto di un granchio colossale, che ci fissò con occhietti lucidi e maligni, mentre gli orrendi barbigli che aveva sulla bocca si agitavano frenetici.

L'altra chela, più piccola ma non meno affilata, saettò ancora e ancora verso di noi, ma prima che potesse colpirci, il gigante sollevò il braccio, tenendo la cupola di cristallo alta e in equilibrio, un po' come un cameriere che regge una cloche.

«Torniamo dentro! Se rimaniamo qui, siamo fritti!» gridò Hal.

«Sono più che d'accordo! Filiamocela!» gridai. Stavo già per rientrare, quando mi accorsi che Tyra, invece di mettersi in salvo, si era lasciata scivolare lungo il braccio del gigante, fino ad arrivare alla sua spalla. Da lì, caricando il lancio come una giocatrice di baseball, tirò qualcosa di metallico, che attraversò l'aria roteando.

Con uno stridìo impressionante, l'oggettino si ingigantì fino a diventare un enorme statua di bronzo e atterrò in ginocchio sul dorso del granchio. Era Talos, il soldatino di bronzo che Tyra aveva ereditato dalla propria antenata Europa.

Tyra sollevò le braccia e Talos iniziò a percuotere con la sua spada il carapace del granchio, ma questo, con un verso stridulo, ritrasse le chele e cercò di afferrarlo, scuotendosi con forza per sbalzarlo via.

Mentre il mostro era distratto da Talos, il gigante di pietra riprese lentamente il proprio cammino.

Richiamati dal frastuono, Rob e Geira uscirono di corsa dalla cupola. Quando vide Tyra con le braccia alzate, impegnata a controllare Talos, Geira si lasciò scivolare a sua volta lungo il braccio del gigante, si mise al suo fianco, ed evocò lo scudo di Lagertha.

Io stavo per seguirla, ma Rob mi afferrò per la spalla: «Angy, dobbiamo rientrare. Le Tre Serene dicono che il mostro potrebbe essere stato evocato da Mordred!»

«Non se ne parla. Dobbiamo provare a fermarlo» risposi.

«Non possiamo fare niente!» esclamò Rob. «Le incantatrici sono occupate nell'incantesimo per muovere il gigante e non possono interrompersi per aiutarci contro il mostro. La nostra unica speranza è arrivare al più presto a Eea!»

Hal mi prese l'altra spalla. «Rob ha ragione, non siamo al sicuro qua fuori. Dobbiamo fuggire subito, finché Talos tiene occupato il mostro!»

Per una qualche crudele ironia, non appena Hal ebbe finito di pronunciare quelle parole, il granchio afferrò Talos con la sua enorme chela e lo scagliò verso di noi.

Tyra non fu abbastanza pronta a rimpicciolirlo prima che Talos ci colpisse, e così un colosso di bronzo massiccio di ben tre metri d'altezza si abbatté sulla cupola con un fracasso di vetri infranti.

E io mi trovavo proprio sotto di lui.

Per evitare di essere schiacciata da Talos balzai di lato, ma la mano del gigante era umida e scivolosa per le ondate e la pioggia sferzante. Mi mancò il terreno sotto i piedi e scivolai giù.

La mia caduta fu così lunga, che mi sembrò di andare al rallentatore: vidi Rob, gli occhi sbarrati e il braccio proteso verso di me per tentare di afferrarmi, farsi sempre più piccolo e lontano, mentre il fragore dell'oceano ribollente diventava sempre più forte man mano che mi avvicinavo all'acqua.

Per fortuna, pur nel panico che mi avvolgeva, ebbi un lampo di lucidità che mi avvertì di non cadere di schiena.

Feci a malapena in tempo a rigirarmi in modo che i miei piedi fossero rivolti verso l'acqua, che quell'interminabile caduta finì in un violento impatto, e l'oceano nero si chiuse attorno a me.

Sprofondai per non so quanti metri, gli occhi spalancati per non perdere di vista la luce che filtrava dalla superficie. Poi finalmente la mia caduta rallentò e cominciai a nuotare verso l'alto, in preda all'affanno, sperando di raggiungere la superficie prima che finisse la poca aria che ero riuscita a inspirare un attimo prima dell'impatto.

Quando riemersi ero davvero giunta al limite.

L'immenso sollievo che provai dopo essermi riempita di nuovo d'aria i polmoni si spense immediatamente appena misi a fuoco ciò che mi trovavo davanti: il granchio, che da vicino appariva ancora più terrificante, e pareva uscito direttamente da un incubo, si stava scagliando contro il gigante di pietra. E io mi trovavo proprio in mezzo, sballottata come un turacciolo dalle onde provocate dal movimento dei loro enormi corpi.

Sembra assurdo, ma in quel momento mi sentii stranamente calma. Stavo per morire schiacciata tra un mostro marino e un gigante di pietra, ma non avevo paura.

Anzi, la mia testa era come svuotata e ogni pensiero fu sostituito da un nulla quasi rassicurante.

Ero, insomma, così spaventata da aver superato la paura ed essere entrata direttamente in stato di shock.

Paralizzata dal terrore, non mi accorsi che il granchio si era fermato.

Solo quando le acque iniziarono a calmarsi attorno a me, mi resi conto che stava succedendo qualcosa.

Le onde, che fino a un attimo prima si infrangevano con alti spruzzi contro il carapace del mostro, lentamente si stavano congelando attorno a lui e in pochi minuti lo immobilizzarono, fino ad avvilupparlo in un involucro di ghiaccio.

«Angy! Angy!» mi sentii chiamare.

Erano Rob e Hal, aggrappati al corpo di pietra del gigante, che si stavano calando giù per raggiungermi.

Qualcosa però li aveva spinti a fermarsi all'improvviso.

«Angy, guarda! Laggiù!» gridò Rob, e io seguii la direzione che mi indicava il suo braccio teso: dall'orizzonte si avvicinava una flotta di triremi, le vele candide sotto il cielo che si andava schiarendo.

Erano arrivate le incantatrici.

Sull'isola di Eea

Ancora un po' intontita, osservai una delle triremi staccarsi dalla flotta e avvicinarsi a me. Solo allora mi resi conto che sulla prua di ognuna delle quattro imbarcazioni c'era un gruppo di persone vestite di tuniche bianche, che tenevano le braccia alzate e protese verso il mostro marino, intente a lanciare un incantesimo.

Dalla fiancata venne calata una scaletta di corda, ma io impiegai qualche istante a comprendere che era destinata a me. Poi raccolsi le poche forze che mi rimanevano e nuotai fino a raggiungerla.

Un ragazzo e una ragazza, che indossavano un chitone e un peplo candidi, mi porsero una mano e mi aiutarono a issarmi a bordo. Mentre la ragazza mi avvolgeva in una coperta calda, il ragazzo continuava a tenere d'occhio il mostro e ordinò allarmato: «Presto, andiamocene! L'incantesimo non durerà a lungo: il ghiaccio si sta crepando!»

Al comando del giovane, la trireme iniziò subito a virare su se stessa e in pochi istanti si allontanò.

Ero al sicuro.

Mi sedetti con la schiena appoggiata alla fiancata, avvolta nella coperta morbida. Il mio cuore rallentò i battiti, io ritrovai il respiro e finalmente fui in grado di osservare meglio l'imbarcazione che mi aveva raccolto.

Il lungo ponte era diviso da una larga apertura che lo attraversava da prua a poppa e che permetteva di scorgere sottocoperta, nella penombra, sei file di robusti rematori, tre per ogni fiancata. In un primo momento, pensai che si trattasse di uomini, ma dai loro movimenti, un po' meccanici e un po' troppo sincronizzati, mi accorsi che non erano altro che statue di bronzo, estremamente realistiche, con buchi vuoti al posto degli occhi. Erano thrall di Eea!

Quando la barca su cui mi trovavo raggiunse il resto della flotta, il gigante di pietra iniziò a muoversi con grandi passi pesanti e ci seguì, camminando sul fondo marino.

Man mano che ci allontanavamo dal luogo dello scontro, il cielo si schiariva sempre di più, fino a tornare di quel bianco ovattato e luminoso tipico del mondo magico.

Ben presto all'orizzonte apparve un'isola. Man mano che ci avvicinavamo scoprii che era alta e rocciosa, coperta da una foresta lussureggiante. Il suo profilo, mosso da due alti promontori che si stagliavano contro il cielo pallido, ricordava un po' il dorso di un cammello, con tanto di gobbe.

A differenza di Avalon, dove a parte il castello con la sua Accademia non ci sono altri insediamenti umani, quest'isola sembrava abitata e vissuta: tra le fronde degli alberi, tutto attorno ai promontori, spuntavano i tetti bianchi e rossi di molte casette, raccolte in piccoli gruppi, come cozze su uno scoglio.

Nel breve tempo che impiegai a fare queste considerazioni, raggiungemmo la riva e le triremi gettarono l'àncora a pochi metri dagli scogli, su cui erano costruite delle piattaforme di legno, sbiancate dalla salsedine.

I thrall abbassarono delle passerelle, a far da ponte

tra le barche e il molo, e io scesi dalla mia imbarcazione con il passo un po' traballante di chi è appena stato in mare e deve abituarsi alla solidità della terraferma.

Dal molo, mi voltai a osservare la flotta di eleganti triremi, da cui stava sbarcando una folla di strani personaggi variopinti. Indossavano vesti dalle fogge più disparate, che sembravano provenire da ogni epoca: ragazze con gonna a ruota e ballerine stile anni '50, si mescolavano a ragazzi in jeans a zampa di elefante e dolcevita attillato in perfetto stile sixties. Giovani statuari in tuniche e chitoni candidi chiacchieravano con ragazzi e ragazze in jeans strappati e felpa; dame in crinolina e gentiluomini con il parrucchino andavano a braccetto con giovani in abiti 'goth' e creste di capelli colorati...

Per un attimo ebbi l'impressione di ritrovarmi in mezzo a un mare di cosplayer che non si fossero messi d'accordo prima su quale franchise rappresentare.

Dopo qualche istante perso a contemplare quella scena bizzarra, mi riscossi e stavo per chiedere a qualcuno cosa dovessi fare e dove dovessi andare, quando, girandomi verso il largo, vidi il gigante di pietra avanzare verso la riva.

Man mano che il fondale si abbassava, lui emergeva,

prima i fianchi, poi le cosce, poi le ginocchia...

Più si avvicinava, più la sua ombra gigantesca si stendeva su tutta la spiaggia come un lenzuolo scuro.

Ora che lo vedevo in tutta la sua altezza, mi resi conto delle sue dimensioni reali: era alto quasi come una collina.

Quando raggiunse la costa, con l'acqua che ormai gli lambiva solamente le caviglie, si piegò su un ginocchio e distese il braccio, appoggiando sugli scogli la mano che reggeva la cupola.

Dopo un attimo, questa si aprì e i miei amici uscirono di corsa. Prima che potessi rendermi conto di quello che succedeva, mi trovai al centro di un abbraccio di gruppo, tanto stretto da mozzarmi il fiato.

«Oh Angy, è stato orribile vederti cadere, pensavamo che saresti morta!» esclamò Tyra.

«Volevo tuffarmi per ripescarti» disse Rob, «ma Hal mi ha bloccato!».

«Dovevo farlo: una caduta da quell'altezza è pericolosissima anche se sotto c'è l'acqua, rischiavi di ammazzarti!» ribatté Hal.

«Ragazzi... sto bene, davvero! Mollatemi però, che soffoco!»

Un educato colpo di tosse ci fece voltare tutti: erano le Tre Serene, che erano scese a loro volta dalla cupola.

«Le vostre effusioni sono commoventi, ma non abbiamo tempo da perdere» disse Serenella. «Dobbiamo dare inizio all'incantesimo di ricerca al più presto, se vogliamo trovare la Pietra Nera prima di Mordred. Seguiteci, prego.»

Poi, senza aggiungere altro e senza voltarsi a controllare se le stessimo effettivamente seguendo, si diressero a passi decisi e naso all'insù, verso la foresta al limitare della spiaggia, mentre le piume dei loro cappellini si agitavano al vento.

Stavo per imboccare un sentiero di ghiaia bianca che si apriva tra un gruppo di cespugli di rosmarino e si immergeva nella boscaglia, quando un rumore alle mie spalle, simile al rombo di una valanga lontana, mi fece voltare di colpo: il gigante di pietra si era nuovamente alzato.

A grandi, lentissimi passi, scavalcò la spiaggia e andò a sedersi con la schiena appoggiata a uno dei promontori dell'isola, con le ginocchia raccolte e il mento appoggiato a una mano. Mi ricordava una famosa scultura, che avevo studiato in storia dell'arte: *Il pensatore* di Rodin.

Una volta che si fu così sistemato, non si mosse più. Circondato dalla vegetazione, sembrava scolpito nel fianco della montagna, come se non si fosse mai spostato da lì.

Mi ero attardata a guardare il gigante e dovetti fare una corsa per raggiungere i miei amici che si erano già avviati lungo il sentiero al seguito delle Tre Serene. Per alcuni minuti camminammo immersi nella pineta profumata. Rob, Hal e Geira parlottavano tra loro, e si guardavano attorno emozionati dal panorama mozzafiato di Eea. Tyra invece sembrava diventare sempre più tesa a ogni passo, come se fosse carica di un'energia nervosa, e continuava a lanciare occhiate sospettose agli incantatori e alle incantatrici che camminavano accanto a noi.

Stavo per avvicinarmi e chiederle se stesse bene, quando il sentiero sbucò in una grande piazza luminosa, lastricata di pietra bianca. Tutto attorno sorgevano degli edifici bassi e larghi, con file di colonnati di marmo e tetti rosso acceso. Era una vera e propria agorà greca.

«All'anfiteatro si stanno già tenendo i preparativi per l'incantesimo, che inizierà a breve» disse Seréne, «Se volete, nel frattempo potrete rifocillarvi...»

Rob sembrò illuminarsi: «Oh sì, grazie! Ho una fame che...»

Io gli pestai un piede. «Siamo a posto grazie! Nessuno di noi ha fame, nessuno vuole mangiare né bere niente!»

«Ehi, ma io...» protestò Rob, ma prima che potesse finire di parlare gli tappai la bocca con la mano.

«Siamo a postissimo!» ribadii, con una risatina nervosa.

Le Tre Serene alzarono un sopracciglio praticamente in simultanea, e Serenella disse: «Come preferite. Vi faremo chiamare quando l'incantesimo sarà terminato e avremo delle informazioni per voi.»

Quando si furono allontanate, tolsi la mano dalla bocca di Rob, che protestò: «Ma che ti prende?»

«Cavolo Rob, ma te le devo spiegare io queste cose? Cosa ti aspetti che succeda se accetti da bere o da mangiare nell'isola di Eea?»

«Ehm... Che mi passino la sete e la fame!»

«Certo, però poi vieni anche trasformato in un maiale!» esclamai.

Tyra tirò un sospiro avvilito. «Angy... guarda che non siamo mica nell'Odissea. Non ci succederà niente se accettiamo l'ospitalità delle incantatrici.»

«Beh, io non mi fido!»

«In realtà avete ragione entrambe» disse Geira.

«Angy, Rob, Tyra, voi siete entrati ad Avalon poco tempo fa e ancora non lo sapete... ma una delle regole che noi leggendari dobbiamo rispettare nel mondo magico è di stare sempre attenti a quello che ci viene offerto da mangiare o da bere: se dovessimo assaggiare anche solo una volta nettare o ambrosia, poi saremmo costretti a continuare a nutrirci solo di quello, altrimenti moriremmo.»

«Che cosa? Nettare e ambrosia?»

«Offrono lunga vita a chi ne consuma, a patto che continui a nutrirsene» spiegò Hal.

Geira annuì: «Quindi, mentre siamo qui a Eea, mangiate pure quello che vi offrono, ma fate molta attenzione: non bevete mai nessun liquido ambrato né mangiate mai nessun cibo che vi sembri splendente.»

Avevo molte altre domande da fargli, ma prima che potessi aprir bocca ci si avvicinò un giovanotto elegante, ma con un che di antiquato nel completo grigio che portava. Non sarebbe stato fuori posto negli anni '30 del Novecento.

Ad accompagnarlo c'erano due thrall, silenziosi e solenni come i bronzi di Riace.

«Gentili ospiti, vogliate scusarmi» disse il giovanotto. «Circe ha chiesto di vedervi. I thrall vi condurranno da lei.»

La figlia del Sole e della Luna

L asciandomi l'agorà alle spalle, mi incamminai con i miei amici al seguito dei thrall, lungo un sentiero immerso nella foresta che si arrampicava su per il colle.

Di tanto in tanto passavo di fianco a edifici molto diversi tra loro come stile e architettura, come se fossero stati costruiti nel corso di varie epoche: l'unica cosa che avevano in comune erano i tetti di tegole rosse.

Man mano che proseguivo lungo il sentiero, le costruzioni si facevano sempre più rare, finché a un certo punto non ne incontrammo più.

La foresta attorno a me era talmente silenziosa che mi sembrava di camminare in un sogno. Non un bel sogno, però: uno vagamente inquietante, come quelli in cui ti sembra di esserti smarrito, o in cui hai l'impressione che qualcuno ti segua anche se non vedi nessuno...

Dai cespugli proveniva un coro di versi spaventosi: soffi, ringhi, stridii, ronzii e bramiti che sembravano appartenere a un gran numero di animali diversi e misteriosi. *Saranno davvero... animali?* pensai allarmata.

Scrutai con lo sguardo tra la vegetazione e fui un po' sollevata nel vedere cervi e daini, conigli, cinghiali, cani, pappagalli e pavoni, colombe e altri volatili che ci osservavano passare. Poi pensai che era davvero molto strano che tante creature, di specie così diverse, si affollassero tutte insieme senza sbranarsi a vicenda. Alcune si fermavano vicino al sentiero come se non avessero il minimo timore di noi, ma quando provai a muovere un passo verso un cerbiatto per accarezzarlo, tutti quanti scapparono ritirandosi nella foresta.

Anche i miei compagni erano nervosi e nessuno parlava. Quella tra noi che sembrava essere più a disagio era Tyra: aveva la fronte imperlata di sudore freddo e le braccia rigide lungo i fianchi per la tensione.

«Tutto bene, Tyra?» le chiesi io.

Lei mi rispose senza incrociare il mio sguardo, come

se fosse sovrappensiero: «Sento un potere magico molto forte provenire da laggiù, proprio dove ci stiamo dirigendo. È quasi spaventoso. Mi chiedo se appartenga a Circe...»

Io non dissi nulla, ma sentii un brivido di apprensione percorrermi la schiena.

Dopo quasi un'ora di cammino, dietro un'ultima curva, il sentiero terminò di fronte a un muro di calce bianca, oltre al quale si potevano intravedere i tetti rossi di una villa. Nel muro era ritagliato un ingresso, sopra il quale era incisa una scritta a caratteri greci.

«Circe, figlia del sole e della luna» lesse Tyra.

«Wow, non sapevo leggessi il greco antico!» disse Rob.

Tyra si girò a guardarlo, confusa. «Che vuoi dire? La scritta è in inglese...»

In quel momento una melodiosa voce di donna si diffuse attorno a noi, e sembrò quasi rimbombare per tutta la foresta. «*Epèste, ò xènoi*» mi parve di sentire.

Io e i miei amici ci guardammo interdetti, ma Tyra aveva già mosso qualche passo avanti.

Vedendo che non la seguivamo, si girò verso di noi: «Beh? Ci hanno chiamati, non andiamo?»

Ancora un po' confusi dal comportamento di Tyra, che improvvisamente sembrava capire il greco antico, varcammo la soglia. Ci trovammo in un ampio cortile rettangolare, percorso in tutta la sua lunghezza da due file di colonne bianche. In entrambi i lati del cortile, tra una colonna e l'altra, erano stese le maglie di ferro di un robusto recinto, e all'interno dei recinti c'erano dei maiali. Se prima stavano grufolando pacificamente, appena ci videro parvero colti dalla frenesia: uno dopo l'altro iniziarono a grugnire rumorosamente e ad accalcarsi contro il recinto, infilando il muso tra le maglie della rete.

I loro versi si facevano sempre più alti, acuti e disperati, come se chiedessero aiuto. Sembravano quasi urla umane.

Turbata, mi trovai a indietreggiare quasi senza accorgermene, ma dopo qualche passo la mia schiena andò a urtare il corpo di bronzo di uno dei thrall. Alzai lo sguardo e incontrai le sue orbite vuote, che mi fissavano senza vedermi oltre le palpebre di metallo. Accanto a lui erano schierati tutti gli altri: ci stavano sbarrando la strada, impedendoci di uscire dalla villa.

Fu Geira a prendere in mano la situazione. «Muoviamoci, prima incontreremo Circe, prima potremo andarcene da qui» disse, incamminandosi verso la porta oltre il cortile.

«Sempre che ce lo permettano...» borbottò Hal.

Dopo un attimo di incertezza, anche Tyra li seguì. Alle nostre spalle, i thrall iniziarono a muoversi a loro volta, spingendo in avanti anche me e Rob, che eravamo rimasti indietro, impauriti.

Oltrepassai la soglia in marmo candido e mi ritrovai avvolta da una densa penombra. Appena i miei occhi si furono abituati all'oscurità, vidi che mi trovavo in un'ampia sala, quasi vuota e profumata d'incenso.

All'altro capo della sala, rialzato da una pedana di legno scuro e affiancato da due tripodi dorati, c'era un alto scranno, sul quale sedeva una donna, illuminata dalla luce calda delle braci. Aveva la pelle scura e indossava un morbido peplo candido, lungo fino ai piedi. I capelli neri le scendevano lungo le spalle in folte ciocche, intrecciate con nastri dorati, e dorato era anche il cerchietto sottile che le stringeva la fronte. I suoi occhi, gialli come quelli di un rapace, sembravano risplendere nella penombra.

Solo dopo qualche istante mi resi conto che era molto, molto più grande di una donna normale: doveva sfiorare i due metri e mezzo in altezza e la sua taglia eccezionale le conferiva una vaga aura ultraterrena.

In un primo momento non me n'ero resa conto perché le proporzioni del suo corpo erano armoniose e ogni cosa nella stanza era dimensionata a lei, ma quando ci avvicinammo fu evidente quanto fossimo piccoli e fragili di fronte a lei, che ci fissava impassibile, enigmatica e colma di un potere arcano.

Tyra, che per tutta la strada mi era apparsa tesa e nervosa, ora aveva iniziato a tremare e sembrava sopraffatta.

Circe alzò un braccio verso di noi, indicando Tyra, e ordinò: «*Epìsthi*.»

Nonostante apparisse intimorita, Tyra non esitò neanche un attimo ad avanzare verso Circe.

Io feci per seguirla, ma le braccia metalliche dei Thrall mi si pararono davanti, sbarrando la strada a me e ai miei amici. Non potemmo fare altro che rimanere fermi ad osservare la scena.

Tyra si avvicinò con passo incerto al trono di Circe, che si piegò in avanti per osservarla meglio, le mani strette sui braccioli dello scranno. La differenza di dimensioni tra loro era tale che Tyra sembrava una bambina interrogata dalla maestra.

Sentii che parlavano tra loro, anche se non riuscivo a capire cosa dicevano. La voce di Circe era dolce ma innaturalmente profonda, e sembrava riverberare attraverso il pavimento.

Dopo qualche minuto di conversazione, che mi sembrò durare ore, Circe tornò ad appoggiarsi allo schienale del suo trono, e con un gesto annoiato e quasi sprezzante della mano declamò: «*Epèrcheste.*»

Tyra tornò verso di noi a testa bassa, quasi con mestizia. Quando ci raggiunse incrociò i nostri sguardi e disse: «Andiamocene, non voglio restare qui un momento di più...»

Non aggiunse altro e uscì a passi svelti attraverso il cortile, e noi non potemmo fare altro che seguirla.

Quando fummo ben lontani dalla villa, al cui ingresso i due thrall si misero di guardia come se non fossero più tenuti a occuparsi di noi, Tyra si fermò, e girandosi verso di noi disse: «Vi spiace se non torniamo immediatamente dalle altre incantatrici? Ho bisogno di fare una passeggiata per schiarirmi le idee.»

Rob si passò una mano tra i capelli rossi. «Per me va bene, ma cosa è successo? Cosa ti ha detto? Sembri sconvolta!»

«Ve lo racconto mentre camminiamo. Ecco, quel sentiero sembra scendere dalla direzione opposta all'agorà, andiamo giù di lì» disse Tyra.

Ci avviammo in quella direzione, ma invece di procedere in fila indiana come avevamo fatto all'andata, eravamo tutti un po' accalcati attorno a Tyra per sentire cosa ci diceva, anche se procedere in quel modo sul sentiero stretto era difficile e ogni tanto qualcuno di noi sdrucciolava o inciampava in un arbusto. Ma non ci importava, tanto eravamo incuriositi dalle parole della nostra amica.

«Circe mi ha detto di avere conosciuto di persona Europa, la mia antenata, e questo mi ha un po' turbata… anche perché poi mi ha offerto di unirmi alle incantatrici di Eea. Ha detto che in cambio mi avrebbe rivelato tutta la verità sulla mia antenata e sulla mia eredità. Pare che ad Avalon non mi abbiano detto tutto ciò che sanno su di lei…»

«Cosa!?» esclamò Geira, «Non avrai accettato, spero…»

«No, certo che no… ma ciò che mi inquieta è che non ho saputo trovare un motivo valido per giustificare il mio rifiuto, se non "ho una brutta sensazione e non mi fido di voi", ma non potevo certo dirglielo. Ma la cosa peggiore è che ho il dubbio che quello che mi ha detto Circe sia vero e che solo stando a Eea potrei veramente raggiungere il mio vero potenziale di incantatrice, perché nonostante Viviana sia potentissima, la sua magia è limitata dalle regole che si è autoimposta…»

«Ma queste "regole" di cui parli, ci saranno per un motivo, no?» dissi io. «Viviana è molto saggia e molto impegnata a mantenere l'armonia e la pace tra il mondo magico e quello reale…»

«Infatti, ed è per questo che ho rifiutato. Ma quello che mi turba è che nonostante io sappia tutto ciò, per un attimo ho seriamente preso in considerazione l'offerta di Circe…»

Hal, rassicurante, appoggiò una mano sulla sua spalla: «Quello che conta è che alla fine tu abbia fatto la scelta giusta.»

«C'è un'altra cosa…» aggiunse Tyra in tono grave, dopo qualche attimo di silenzio.

«Coraggio, non tenerci sulle spine!» esclamò Geira.

«Appena prima che me ne andassi, Circe mi ha rivelato una cosa su Morgana. Avete presente il liquido ambrato che lei beve in continuazione? Beh, si tratta di ambrosia, ed è la stessa Circe a rifornirla.»

«Questo vuol dire che Morgana ha più di mille anni, ma già lo sapevamo» commentò Geira. «Ma significa anche che è dipendente dall'ambrosia: se non ne avesse più a disposizione morirebbe in breve tempo tra atroci tormenti…»

«Quello che non capisco, è perché abbia voluto darti questa informazione...» commentai sospettosa. «Che cosa vuole Circe da noi, e perché?»

«La spiegazione più semplice è che il potere di Morgana potrebbe averla infastidita...» suggerì Hal.

«Ho la sensazione che prima o poi scopriremo da soli il vero motivo del comportamento di Circe...» sussurrò Tyra, cupa.

Il gelato più buono del mondo

Restammo in silenzio qualche istante a ripensare alle implicazioni di quello che Tyra ci aveva appena detto.

Il silenzio fu però presto interrotto da Rob, che camminava davanti a tutti.

«Ehi, ragazzi... cos'è quello?» esclamò, indicando un punto, molto più in basso, tra le fronde dei pini, dove si intravedeva una luce pulsante, a volte azzurrina, a volte verdina, a volte violetta.

Sembrava provenire dalla spiaggia, ma da dove ci trovavamo non riuscivo a vedere chiaramente cosa fosse.

«Non lo so. Andiamo a vedere!» esclamai.

«Non so se è una buona idea...» disse Geira ma io, Rob e Hal ci eravamo già allontanati dal sentiero in direzione della strana luce, e alle nostre due amiche non restò altro da fare che seguirci.

Mi scapicollai a rotta di collo lungo il fianco ripido della collina, provocandomi una buona dose di graffi alle braccia e alle caviglie, ma nonostante questo, spinta dalla curiosità, continuai imperterrita a scendere verso la spiaggia.

Incespicai tra i ginepri e sdrucciolai sul tappeto di aghi di pino, finché arrivai, malconcia, al limitare di una scogliera a strapiombo.

Lì finalmente mi fermai, con il fiato grosso e, al riparo tra due rocce, sbirciai sotto di me: più in basso, su una spiaggetta di sassi, vidi una scena che non mi sarei mai aspettata.

Nove persone erano in cerchio attorno a una specie di squarcio luminoso, che attraversava l'aria per alcuni metri in altezza. Quella strana apertura fatta di luce, che pareva quasi una distorsione della realtà stessa, vibrava, pulsava, serpeggiava, come se fosse viva, e cambiava continuamente colore, come i riflessi che i lampadari di cristallo proiettano sul pavimento in una giornata soleggiata.

«Che cavolo è quella... *cosa*?» mormorai io.

«Non lo so. Sembra una specie di magia!» disse Rob.

Tyra annuì. «Sì, stanno facendo un incantesimo, questo è certo. Ma non ho assolutamente idea di quale incantesimo sia! Quindi, stiamo attenti: potrebbe essere rischioso...»

Eravamo talmente assorbiti da quel bizzarro spettacolo che non ci accorgemmo del gruppo di incantatrici che si stava avvicinando alla spiaggia da un sentiero laterale, finché uno dei nove che formava il cerchio non gridò: «Cambio!»

Allora, facendo attenzione che l'incantesimo non venisse mai interrotto, uno alla volta gli incantatori vi si staccarono, e vennero immediatamente sostituiti dai nuovi arrivati.

«Che facciamo, andiamo a vedere di che si tratta?» suggerì Hal, in un sussurro.

«Ma sei matto? Così ci scoprono! Magari è un segreto che nessuno dovrebbe conoscere...» mormorò Geira.

«Geira ha ragione, si stanno comportando in maniera un po' furtiva laggiù, magari stanno facendo qualcosa di losco...» aggiunse Rob a bassa voce.

«A maggior ragione, dovremmo andare a controllare!» sussurrai io.

«Ehilà! Ciao, ragazzi, voi chi siete?» gridò una voce squillante alle nostre spalle.

Tutti e cinque cacciammo un urlo di sorpresa.

Mi voltai e vidi che tra i cespugli, su un sentiero a poca distanza da noi, c'era un ragazzo che ci osservava con le mani in tasca e l'espressione incuriosita. Doveva avere circa quattordici o quindici anni, aveva la pelle molto scura, i capelli rasati a zero e un bellissimo sorriso.

Io cercai di darmi un contegno. «Ehm... beh, noi siamo la delegazione arrivata stamattina da Avalon per una missione ufficiale, importante, segretissima!»

«Ah certo, ne avevo sentito parlare» disse il ragazzo, per niente impressionato. «Ciao, io sono Jaali!»

Hal fece un passo avanti: «Ciao Jaali, io sono Halil! Senti un po', sai dirmi cosa succede laggiù sulla spiaggia?»

«Oh, quello?» Jaali diede una scrollata noncurante di spalle «Quello è solo il Portale Perenne.»

«Portale Perenne?» chiese Tyra, il cui viso si era immediatamente illuminato per la curiosità.

Jaali si grattò una guancia. «Ma sì, il portale che alcune incantatrici per puro caso stavano usando nel momento in cui sono state create le Porte di Avalon. Mi hanno detto che è l'unico varco tra mondo reale e mondo magico sopravvissuto all'incantesimo di Viviana.

«Incredibile! Non sapevo che esistesse un altro passaggio oltre alle Porte!» esclamai io sbalordita. «Ad Avalon non abbiamo mai sentito parlare di niente del genere...»

Jaali tirò su col naso e scrollò le spalle. «Sono nuovo, non conosco bene i dettagli... ma grazie al portale possiamo andare e venire da Eea quando ci pare. Però ci deve essere sempre qualcuno a mantenerlo attivo, perché se si chiudesse non potrebbe mai più essere aperto.»

I miei amici e io ci scambiammo un'occhiata perplessa.

Possibile che un segreto di quella portata ci venisse rivelato in maniera così disinvolta?

Forse, pensai, Jaali era davvero molto inesperto del

mondo magico e non si rendeva conto di quello che ci aveva appena raccontato... E infatti, non sembrò cogliere il nostro turbamento e disse con aria complice «Vi va di fare un giro?»

«...un giro?»

«Ma sì, attraverso il portale! Si arriva diretti in spiaggia. Possiamo prenderci un gelato... io ho finito il mio turno e non ho niente da fare per tutto il giorno.»

Stavo per dire che non potevamo allontanarci da Eea, perché dovevamo controllare che le incantatrici si occupassero davvero di svolgere l'incantesimo di ricerca, come ci avevano promesso, quando Rob intervenne: «Ho proprio voglia di un gelato! Che ne dite, ragazzi?»

Tyra si girò dando le spalle a Jaali e ci disse a bassa voce: «Forse è il caso di andare a controllare questo portale, per poter dare a Merlino e Viviana più informazioni possibili, che ne dite?»

Dopo aver confabulato tra noi per qualche istante, decidemmo di seguire Jaali lungo il sentiero costeggiato da cespugli di rovi e arrivammo alla spiaggetta di sassi dove il portale brillava e guizzava dentro al cerchio formato dalle incantatrici.

«Avanti, fate come me!» disse Jaali, ed entrò nel cerchio. Si infilò tra un'incantatrice e il suo vicino, attento a non urtarli, e camminò a passo sicuro verso il portale. Un istante dopo, venne inghiottito dalla luce cangiante e sparì completamente alla vista.

«Che forza! Andiamo, dai!» esclamò Rob, e si buttò a sua volta oltre al cerchio, dentro al portale, e scomparve.

«Oh cavolo...» borbottai io e, ignorando la paura dell'ignoto che mi stringeva lo stomaco, saltai dentro.

Sentii una sensazione di freddo, come se fossi immersa in un banco di nebbia, poi fui avvolta da una fortissima luce bianca... Per un breve e doloroso istante fui trafitta da un mal di testa insopportabile, ma mi bastò compiere solo un altro passo, e tutto finì: ero di nuovo nel mondo reale.

Mi ritrovai in un bosco di pini marittimi sul fianco di una collina, molto simile a quello dove eravamo pochi istanti prima, ma davanti ai miei occhi, invece del pallido e immobile oceano magico, c'era un mare azzurrissimo e scintillante sotto il cielo terso, scosso da onde allegre che sentivo infrangersi sugli scogli.

Poco lontano da noi, un faro bianco spiccava contro il cielo limpido, di un azzurro così intenso da sembrare dipinto.

Da un punto imprecisato alla mia destra, giungeva un lontano rumore di automobili, che mi sembrò quasi assordante dopo il silenzio irreale del mondo magico.

In lontananza, dove la costa tornava bassa, vidi una lunga spiaggia di sabbia dorata, punteggiata da file di ombrelloni azzurri. Appena dietro, spuntavano i tetti rossi di un paesino.

Rob allargò le braccia, ispirando teatralmente una boccata d'aria di mare, ed esclamò: «Che meraviglia! Ma dove siamo?»

«Beh, siamo in Italia, vicino a Capo Circeo» disse Jaali, infilandosi una mano in tasca ed estraendone una banconota e una manciata di monetine: «Vediamo… forse ho abbastanza soldi per offrire un gelato a tutti, ma dovremo farci una bella scarpinata!»

In quel momento anche Geira, Hal e Tyra apparvero di fianco a noi come dal nulla. Il portale non si vedeva più: era come se non fosse mai esistito.

«Ehm… Jaali, come facciamo a tornare?» domandai allarmata.

«Ma come? È proprio lì, di fianco a te!» esclamò

Tyra, indicando un punto nel vuoto alla mia destra.

«Solo gli incantatori e le incantatrici possono vedere il portale nella dimensione reale» spiegò Jaali, «e nessuno può oltrepassarlo senza di noi... e per fortuna, altrimenti sai quante persone rischierebbero di inciamparci dentro?»

«In effetti...»

Chiacchierando tra noi, ci avviammo giù per la collina, in direzione della spiaggia. Ad un certo punto incontrammo un sentiero lastricato di pietre, a fianco di una torre mezza rovinata, davanti alla quale alcuni turisti si facevano delle foto.

Non ci degnarono di uno sguardo.

Sembravamo un gruppo di ragazzi qualsiasi, che ridevano e scherzavano tra loro. Del resto, come potevano immaginare che eravamo appena sbucati da un portale che metteva in comunicazione il mondo reale con il modo magico e che avevamo una pericolosa missione da compiere per salvarli entrambi?

La camminata fu lunga ma piacevole, grazie alla brezza leggera e profumata di mare.

«Bello, eh?» disse Jaali. «Sono proprio fortunato ad abitare qui! Per noi incantatori affiliati a Eea è indispensabile abitare vicino al portale, per via dei turni all'Incantesimo di Mantenimento, intendo. Avete visto prima, no? Il cambio deve avvenire in perfetta sincronia e con grande puntualità: non possiamo sgarrare neanche di un secondo! Insomma stiamo quasi tutti da queste parti, esclusi alcuni che sono ricchissimi, tanto ricchi da possedere un jet privato e arrivano a Eea quando vogliono, anche se abitano dall'altra parte del Pianeta!»

«Sei nato qui? Dal tuo accento non si direbbe...»

«No, mi sono trasferito qui solo due anni fa, con la mia famiglia, quando ho fatto il mio ingresso ufficiale a Eea e ho cominciato a partecipare all'Incantesimo di Mantenimento. Ma ero in contatto con le incantatrici da molti anni: sono state loro a insegnarmi a controllare i miei poteri e a non farmi scoprire dalla gente comune.

«Ma allora tutti gli incantatori vivono da queste parti?» Chiesi guardandomi intorno stupita: mi chiedevo chi delle normalissime persone che incontravo per strada fosse in realtà un incantatore.

«No, no! Solo gli incantatori legati a Eea! In giro per il mondo ce ne sono altri, che appartengono ad altre cerchie magiche... ma adesso basta chiacchierare. È ora di assaggiare il migliore gelato del mondo... o per lo meno, del mondo reale, intendo!» concluse Jaali, nel momento esatto in cui mettemmo piede in spiaggia.

Subito Rob si tolse le scarpe, legò le stringhe tra loro, e se le appese attorno al collo, immergendo i piedi nudi nella sabbia: «Aah! Questa sì, che è vita» esclamò.

Pochi minuti dopo gustavamo i coni gelato più buoni del mondo, seduti su uno scoglio, con i piedi immersi nell'acqua e il sole tiepido sul viso.

Se quello non era il paradiso, ci eravamo molto molto vicini!

In quell'istante, come per imprimermi nella mente quel momento perfetto, feci scorrere lo sguardo verso la collina, in direzione del portale.

E fu allora che, appena dietro i cespugli che fiancheggiavano la strada, a malapena visibile oltre la linea delle cabine e degli ombrelloni, notai qualcosa che mi fece gelare il sangue nelle vene.

Sulla strada che costeggiava la spiaggia era parcheggiato un camioncino grigio scuro, dall'aria anonima, senza scritte né insegne.

Non avevo dubbi, era molto simile a quello con cui ero stata rapita solo pochi giorni prima...
Eravamo nei guai!

Incontri e scontri

Sbiancai in volto e strinsi il braccio a Geira, che era seduta accanto a me.

«Che c'è Angy?» chiese lei allarmata.

Io indicai con il mento, cercando di non dare nell'occhio: «Quel camioncino laggiù... mi è fin troppo familiare...»

«Quello grigio, dici?» Jaali scrollò le spalle. «Beh, ce ne sono un paio così che gironzolano sempre qua in giro, probabilmente appartengono a qualche negozio del paese.»

«Sarà, ma è identico a quello che hanno usato i seguaci di Mordred per rapirmi. È esattamente lo stesso modello, e dello stesso colore. E poi, chiamatemi paranoica, ma sembra proprio che ci stiano osservando...

Dalle finestre del furgoncino infatti si intravedevano vagamente le sagome di due persone, girate verso la spiaggia.

Tyra aggrottò le sopracciglia: «Meglio sbrigarci a tornare a Eea, allora! Non pensavo l'avrei mai detto, ma lì saremo più al sicuro.»

«Aspetta, però...» esclamò Jaali, «se sono davvero seguaci di Mordred, vuol dire che ci stanno tenendo sotto controllo! Sono sempre qui, nei paraggi del portale. Magari stanno cercando di scoprire dove si trova! Non possiamo condurli direttamente lì! Meglio se facciamo il giro lungo, attorno alla collina.»

Halil annuì, appoggiando una mano sulla spalla di Jaali. «Buona idea! Così scopriremo se sono davvero qui per noi. Se ci seguiranno, i nostri sospetti saranno confermati. Altrimenti, vorrà dire che siamo tutti paranoici e ci serve uno strizzacervelli, ma uno bravo, eh?»

«Allora, adesso andiamo...» disse Geira, «ma muoviamoci con calma, come se niente fosse... e non guardate verso di loro per nessuna ragione, d'accordo?»

Lasciammo il nostro angolino di paradiso sulla scogliera ma, invece di tornare subito indietro attraverso la spiaggia, ci dirigemmo molto lentamente sulla strada asfaltata che curvava attorno al promontorio.

In un primo momento il camioncino rimase immobile. Stavo quasi per tirare un sospiro di sollievo, ma appena prima che sparissimo dietro l'angolo della strada, cominciò lentamente a muoversi.

Io afferrai con la sinistra il gomito di Rob, e con la destra il gomito di Geira, e tirandoli verso di me sussurrai: «Eccoli, eccoli, ci stanno seguendo davvero! Oh, accidenti.»

«Calmati, Angy» mormorò Geira, tenendo lo sguardo fisso davanti a sé con finta indifferenza: «Non facciamogli capire che ci siamo accorti di loro. Continuiamo a camminare tranquilli, e alla prima occasione ci nascondiamo...»

Jaali, che camminava davanti a noi, doveva averla sentita, perché arretrò di qualche passo e disse: «Fra cinque minuti raggiungeremo un punto dove il muro al lato della strada è crollato. Da lì è più facile arrampicarsi! Potremmo andare a nasconderci nel bosco sulla collina...»

«Ottimo piano!» esclamò Hal, tirandogli una pacca sulla spalla. Tyra, Geira e Rob annuirono. Eravamo tutti d'accordo.

Continuammo a camminare, cercando di resistere alla tentazione di guardarci alle spalle. Non sapere quanto i nostri inseguitori fossero vicini o lontani era snervante.

Tyra estrasse il cellulare e aprì la fotocamera frontale.

«Non mi sembra un buon momento per farsi un selfie...» disse Rob.

«È sempre un buon momento per un selfie, Robert!» ribatté lei, ma nonostante il suo commento mi accorsi che non si stava affatto facendo una foto: usava la fotocamera per guardarsi alle spalle, come se fosse uno specchio.

«Sono ancora lì?» chiese Geira, guardando fisso davanti a sé.

«Sì, ma sono abbastanza lontani... penso che non sappiano ancora che ci siamo accorti di loro.»

«Perfetto... fra pochissimo raggiungeremo il buco nel muro. Tenetevi pronti a correre, ragazzi!» disse Jaali.

E difatti, dopo qualche passo, superata la curva della strada, vidi che il terrapieno sotto la collina in un punto aveva ceduto, lasciando una conca piena di arbusti e terriccio, perfetta per arrampicarsi.

Jaali esclamò: «Adesso! Muoviamoci!» E agile come un cerbiatto, scavalcò il terrapieno e iniziò a correre in salita su per la collina, immergendosi nella boscaglia.

Io tentai di fare lo stesso, ma si rivelò più difficile del previsto: la terra che riempiva il muro crollato era scivolosa, e gli arbusti che vi erano cresciuti sopra non erano abbastanza forti per aggrapparsi. In poche parole, fallii clamorosamente il mio tentativo di arrampicata e Halil dovette sollevarmi di peso per i fianchi e issarmi oltre al terrapieno.

«Muoviamoci, forza!» esclamò, salendo a sua volta.

Geira ci raggiunse senza fatica, ma Rob e Tyra erano in difficoltà. Fummo costretti a sporgerci dal terrapieno in rovina, prenderli per le braccia e tirarli su di peso.

Tutto questo ci fece perdere tempo prezioso e il camioncino comparve oltre la curva mentre noi ancora arrancavamo allo scoperto, su per il fianco ripido della collina, molto lontani dal riparo degli alberi.

Ci avevano visti.

«Stanno scappando!» gridò una voce maschile alle mie spalle, e non ebbi bisogno di girarmi per sapere che i nostri inseguitori erano scesi dal furgone e stavano correndo per raggiungerci.

«Da questa parte!» gridò Jaali, ma ormai era talmente lontano che quasi non lo vedevo più.

Le gambe mi bruciavano per lo sforzo, ma strinsi i denti e mi feci strada attraverso il bosco e le sterpaglie. Stavo quasi per raggiungere Geira, ma Rob e Tyra, che non erano abituati a correre, iniziarono a perdere terreno e rimasero indietro. Appena me ne accorsi rallentai anche io: non volevo che rimanessero da soli in caso venissero raggiunti dai seguaci di Mordred.

«Non ce la faccio più!» ansimò Rob quando finalmente fu accanto a me, seguito poco dopo da Tyra. «Se sopravvivo giuro solennemente che mi allenerò di più!»

«Coraggio ragazzi, siamo quasi arrivati al portale!» tentai di incoraggiarli, ma la verità era che mancava ancora un bel pezzo di strada.

Comunque, dopo una faticosa, disperata corsa su per il fianco scosceso della collina, vedemmo Hal e Geira qualche metro sopra di noi, che si erano fermati ad aspettarci.

«Avanti, ci siamo quasi!»

In quel punto il bosco si era diradato e, alle loro spalle, oltre i cespugli della macchia, si vedeva il mare azzurro. Alla mia destra, invece, c'era il fianco della collina, che scendeva a picco verso la spiaggia. Con la coda dell'occhio, sotto di me, vidi la strada asfaltata piena di turisti che avevamo percorso all'andata.

Brava Angy, ce l'hai quasi fatta! mi complimentai con me stessa. *Ormai siamo davvero vicini al portale. Ancora pochi passi e siamo sal...*

Ma i miei pensieri vennero interrotti improvvisamente. Qualcuno mi afferrò per il fondo della maglietta e mi strattonò violentemente all'indietro.

Per un attimo ebbi la sensazione di cadere, ma venni bloccata dal corpo dell'aggressore, che mi afferrò con forza per le spalle.

Girai la testa e vidi che aveva il cappuccio alzato e una bandana rossa e bianca a nascondergli il viso.

Lo spinsi via con tutte le mie forze, e riuscii a fargli perdere l'equilibrio. Lui però non mollò la presa e mi trascinò con sé nella caduta. Mi divincolai per liberarmi, e nella lotta la bandana gli scivolò giù dal volto.

Fu allora che mi resi conto di conoscere molto bene il mio aggressore.

«Namid!?» esclamai.

Lui non diede segno di riconoscermi.

«Namid, sono io, Angy!»

Era uno dei ragazzi con cui ad Avalon avevo chiacchierato di più, a parte i miei amici...

Come poteva non ricordarsi di me?

L'avevo visto l'ultima volta meno di un mese prima, poco prima che sparisse dalle mappe di Merlino. Allora, avevamo tutti pensato che fosse stato rapito, ma forse le cose erano un bel po' più complicate di così.

Nonostante i suoi occhi fossero aperti, anzi spalancati, era come se non mi vedesse, come se non fosse veramente sveglio e non riuscisse a mettere davvero a fuoco...

In quel momento però, con un grido che iniziò feroce ma terminò in uno strillo acuto, Rob si avventò contro Namid, che si voltò verso di lui, pronto ad affrontarlo.

Io approfittai della sua distrazione, presi la rincorsa e lo colpii con una violenta spallata.

Namid, colto di sorpresa, cadde e rotolò giù dal fianco della collina.

«Namid!» gridai, guardandolo con un misto di sollievo e preoccupazione mentre scivolava giù lungo la discesa ripida, tra lo schioccare di arbusti spezzati. Solo quando la scarpata si addolcì, terminando nella strada che avevamo percorso all'andata, la sua caduta si interruppe. Dopo un attimo di immobilità, Namid si rialzò a fatica, reggendosi la schiena.

In quel momento, dalla boscaglia davanti a noi spuntò anche il secondo seguace di Mordred, col viso nascosto da un fazzoletto nero. Nonostante la sua aria agguerrita, si bloccò immediatamente sui propri passi quando si accorse di essere da solo contro sei.

Per di più, quasi a puntualizzare la cosa, Hal e Geira scelsero proprio quel momento per evocare le armi dei loro antenati, e iniziarono ad avanzare verso di lui a passo risoluto.

Il ragazzo con la bandana nera guardò loro, guardò me e Rob, guardò giù dalla scarpata dove Namid era ancora piegato in due per la caduta, impolverato e pieno di rovi, e poi guardò di nuovo noi. Quindi, senza esitare oltre, si girò sui suoi passi e corse via da dov'era arrivato.

Poco dopo Namid lo seguì zoppicando.

«Presto! Al portale, prima che tornino con i rinforzi!» esclamò Jaali.

Riprendemmo a correre tra gli alberi, e dopo qualche minuto Tyra e Jaali si bloccarono di colpo, tanto che quasi gli finimmo addosso.

«Eccoci! Ora dobbiamo restare uniti, o qualcuno di voi rischierebbe di rimanere fuori dal passaggio,» disse Jaali. Quindi diede la mano a Tyra, che la diede a Geira, che la diede a Rob, che la diede ad Hal, che la diede a me. Formata questa catena, Jaali avanzò risoluto verso il nulla e dopo qualche passo scomparve.

Tyra non sembrò turbata: continuò a camminare tranquilla verso il portale, che per noi era invisibile, e un istante dopo svanì. Incrociai lo sguardo vagamente allarmato di Rob, che venne trascinato in avanti da Geira. Dopo un attimo entrambi sparirono davanti ai miei occhi tirandosi dietro Hal. Io istintivamente puntai i piedi ma Hal mi teneva la mano con una presa tanto salda che venni trascinata in avanti a mia volta.

Mi sentii avvolgere dal freddo, la mia vista fu invasa da una luce bianchissima e un male tremendo mi attraversò la testa da una tempia all'altra, come una lancia. Ma il dolore passò subito e quando riaprii gli occhi, mi ritrovai a Eea, in mezzo al cerchio delle incantatrici.

E ad aspettarci oltre al cerchio, con le mani sui fianchi e l'espressione tempestosa, c'erano le Tre Serene.

La peggior ramanzina della mia vita

Non augurerei al mio peggior nemico di dover subire una ramanzina da un'incantatrice, figuriamoci da tre incantatrici insieme, in una volta sola!

Per un attimo ci sembrarono alte come torri, come se noi non fossimo altro che formiche, o lombrichi davanti a loro.

E probabilmente è così che ci vedevano in quel momento: dei piccoli insignificanti insetti, che avrebbero potuto schiacciare senza il minimo sforzo.

Il cielo si rabbuiò e intorno a noi scese improvvisamente la notte. Fummo avvolti da un turbine di vento scuro, percorso da scariche elettriche, simili a piccoli fulmini violetti. Le loro voci echeggiarono terribili, direttamente nelle nostre teste: «Sciocchi insulsi ragazzini, come osate usare i passaggi magici tra i mondi con leggerezza, come se fossero creati per il vostro personale divertimento? Un portale magico che noi manteniamo aperto con enormi sforzi e sacrifici da centinaia e centinaia di anni non può essere usato per andare a prendere... un gelato! Siamo senza parole! E voi sareste i famosi Guardiani della Soglia? Vergogna! Avete messo a rischio l'esistenza stessa di Eea per un gelato, guidando i nemici fino quasi al portale. Abbiamo già avvisato Avalon della vostra assurda bravata. Merlino ci ha assicurato che prenderà seri provvedimenti. E quando tornerete nel mondo reale, alla fine della vostra settimana nel mondo magico, alcuni di voi avranno delle sgradite sorprese! Il tempo è tornato a scorrere per voi nella realtà... e se vi foste fermati solo qualche ora di più, non avreste mai più potuto tornare ad Avalon! Siete avvertiti, che non succeda mai più una cosa simile o sarete banditi per sempre non solo da Eea ma anche da tutto il mondo magico.»

Appena pronunciarono l'ultima sillaba, proprio come se qualcuno avesse acceso un interruttore, tornò di colpo la luce del giorno e le incantatrici ripresero le loro dimensioni normali, sistemando le piume dei loro cappellini come se fossero appena tornate da una serata a teatro.

«Qui abbiamo finito, ragazze» concluse Serena. «Qualcosa mi dice che questi cinque scavezzacolli non violeranno più le regole del mondo magico per un bel pezzo.»

Poi si rivolse a noi, come se niente fosse, con il tono di voce di una vecchia zia: «Su, su non state lì impalati. E chiudete quelle bocche, non siete merluzzi. Seguiteci, abbiamo terminato l'incantesimo di ricerca. E abbiamo importanti comunicazioni per voi.»

Noi ci scambiammo uno sguardo sbalordito poi, mezzi inebetiti da quella strapazzata cosmica, le seguimmo nella cupola di cristallo.

Le Serene ci fecero accomodare attorno al loro tavolino dove ora, terminato l'incantesimo, era allestito un ricco tè pomeridiano, con pasticcini, tartine e ogni bontà.

Serena, dopo aver sorbito un lungo sorso di tè al gelsomino a occhi socchiusi, come per assaporarlo meglio, poggiò la tazzina di porcellana.

«Ebbene, come dicevo, l'incantesimo di ricerca è terminato» annunciò. «Abbiamo individuato la Pietra Nera: si trova nel mondo reale, nella catena dell'Himalaya. Per essere più precise, vicino al lago Duth Pokhari, non lontano da villaggio di Gokyo, a 4750 metri di altitudine.»

«Sull'Himalaya? Non penserete davvero di mandare noi? Io soffro di mal di montagna!» commentai, incrociando le braccia, «Non ho nessuna intenzione di farmi venire un'embolia, neanche se è per una buona causa.»

«Angy ha ragione» continuò Rob alzando gli occhi al cielo, «come potete pensare che...»

«Non ci sono alternative, purtroppo!» lo interruppe Serenella. «Noi incantatrici dobbiamo rimanere qui a occuparci di tenere aperto il portale e a difenderlo da eventuali attacchi, soprattutto ora che avete quasi rivelato la sua esistenza al nemico...»

«Consideratela un'opportunità per riabilitarvi agli occhi dell'intero mondo magico dopo la vostra impresa di oggi» aggiunse Serena, sollevando un sopracciglio.

«E Merlino cosa ne pensa? Gliene avete già parlato? Forse dovremmo tornare subito ad Avalon e chiedere istruzioni all'Alto Consiglio dei Leggendari!» aggiunsi sospettosa.

«Non si preoccupi, mademoiselle Pendrake» disse Serène, «abbiamo già dato disposizioni per un vostro immediato ritorno ad Avalon, dove l'Alto Consiglio attende con ansia di conferire con voi, ma...»

«...ma poiché la Pietra Nera si trova nel mondo reale» proseguì al suo posto Serena, «solo voi potrete recuperarla. Preparatevi: non c'è altra scelta che mandare voi, Guardiani della Soglia. E dovrete partire al più presto, prima che Mordred trovi la pietra. Sappiamo per certo che la sta cercando disperatamente: le tracce del suo incantesimo di ricerca sono evidenti. Riuscirà molto presto a individuarla, anche se, per nostra fortuna, agisce da solo. E questo ci ha dato, e per qualche giorno ci darà ancora, un certo vantaggio su di lui...»

Tyra si alzò in piedi e parlò a nome di tutti.

«Grazie per la comunicazione. Se saremo chiamati a questa missione non ci tireremo indietro. Ma ora vorremmo partire al più presto per Avalon. Abbiamo altre gravi questioni da discutere con il Consiglio.»

«E abbiamo un viaggio sull'Himalaya da organizzare...» aggiunsi io, preoccupata. «Come pensate che faremo ad arrivare in Nepal? A cavallo di una scopa? Gli aerei costano, e in questo momento non sono certo nelle condizioni di chiedere un viaggio premio ai miei!»

Serena sorrise enigmatica.

«Signorina Pendrake, si ricordi che a volte l'aiuto di cui abbiamo bisogno arriva in modo insperato. Tenga la mente aperta e non si disperi... »

Tacque per un istante poi aggiunse, guardandomi quasi con tenerezza: «Madamigella, ci tengo ad avvertirla che non sarà un facile rientro nel mondo reale, il suo. Stia attenta e cerchi di non attirare l'attenzione, se possibile!»

Poi batté le mani: «Hop, hop! Svelti, che il vostro mezzo di trasporto sta per partire.»

In quell'istante udimmo un rumore simile al rombo di una valanga, come di pietre che rotolano, e un impressionante stridio. Poi fummo sovrastati da un'ombra immensa, che andò a oscurare la luce del sole. Era il gigante di pietra! Si era sollevato dal promontorio cui si era appoggiato solo poche ore prima e, facendo tremare la superficie della cupola di cristallo come se ci fosse il terremoto, stese la sua enorme mano di roccia davanti a noi.

Salimmo sulla mano del gigante mentre le Tre Serene ci osservavano, in piedi davanti alla loro cupola, con le lunghe vesti svolazzanti per la brezza del mare. Ci salutarono agitando le mani guantate, come tre innocue e anziane zie.

«Fate buon viaggio! Non prendete freddo! E non sporgetevi troppo, non possiamo mandare nessuno a salvarvi stavolta, capito signorina Pendrake?»

Poi il gigante lasciò Eea e si avviò verso Avalon, camminando sul fondo dell'oceano magico con grandi passi pesanti, che si trasformarono presto in una specie di corsa.

Come fummo al largo, il gigante chiuse le mani, creando una specie di caverna di pietra, in cui eravamo protetti e in penombra.

Non so se quella fosse stata una precauzione voluta dalle tre Serene perché arrivassimo sani e salvi ad Avalon, oppure una punizione per la nostra bravata, ma l'effetto del movimento ondeggiante del gigante, all'interno di quello spazio chiuso e umido di salsedine, fu tremendo: sembrava di essere a bordo di una barca con il mare in tempesta.

Ben presto ci ritrovammo tutti sdraiati e boccheggianti per la nausea sulla mano del gigante, incapaci persino di parlare.

E così restammo, ridotti praticamente a larve, finché non arrivammo ad Avalon e il gigante ci depositò sulla spiaggia, dove il Consiglio ci stava aspettando schierato, in alta uniforme.

Che strano! riflettevo mentre scendevo barcollante dalla mano del gigante. *Perché non ci hanno convocati nella sala grande del castello come al solito? O hanno fretta di incontrarci o sono molto arrabbiati...*

Scoprii pochi istanti dopo che ci avevo visto giusto ed erano vere entrambe le mie ipotesi, purtroppo.

Come fummo di fronte al semicerchio dei leggendari che ci attendevano scuri in volto, Merlino tuonò: «Non aggiungerò altro a quanto vi hanno detto le Tre Serene, se non che siamo molto delusi dal vostro comportamento. Rifletteremo su quale sarà la vostra punizione, che sarà esemplare, statene certi. E ora, se volete comunicare a questo consiglio gli esiti della vostra missione...»

Io mi sentivo ribollire dentro e mi alzai decisa.

«Sono stanca di tutte queste storie. Ci avete trascinato in questioni più grandi di noi e il nostro addestramento non è neanche terminato! E comunque, la nostra fuga nel mondo reale sarà anche stata una leggerezza, ma ci ha permesso di scoprire una cosa molto importante: siamo stati attaccati dagli scagnozzi di Mordred e sono certa che uno di loro era Namid!

Abbassai gli occhi e sorvolai sul fatto che avevo risposto al suo attacco, con una forza e una rabbia eccessiva.

Avevo rischiato di ferirlo e me ne vergognavo profondamente...

«Namid? Il nostro Namid? Ma come è possibile?» esclamò Parsifal. «Era uno dei miei allievi più leali e preparati!»

«Non sembrava in sé» aggiunsi. «L'ho chiamato per nome, mi ha guardato e non mi ha riconosciuto. Sembrava non vedermi neanche, aveva lo sguardo assente...»

«Uhm... quello che riferisce è molto preoccupante, signorina Pendrake» commentò Merlino lisciandosi la barba. «Questo può voler dire solo una cosa, purtroppo: che Mordred ha rapito gli eredi e in qualche modo ha spento la loro volontà e la loro eredità. Ecco perché sono spariti dalle mie mappe...»

Viviana si coprì il volto con le mani.

«Mordred li sta usando» mormorò dopo qualche istante «proprio come aveva usato i giovani di Camelot contro Artù. Mi chiedo però come faccia...»

Tyra si fece avanti. «Credo che per Mordred non sia un problema trovare il modo di rendere schiavi dei ragazzi inermi...»

Tyra tacque un istante poi chiese, dura: «C'è una cosa che vorrei sapere. Forse mi avete taciuto qualcosa sulla mia eredità? Perché Circe afferma che non mi avete detto tutta la verità...»

«È così, signorina Hope. Se finora non gliene abbiamo parlato è solo per riguardo verso di lei, perché non era ancora pronta. Ma nelle prossime settimane chiariremo tutti i dubbi suoi e dei suoi compagni a proposito della vostra eredità. Non è bene che il nemico possa usare contro di voi la vostra legittima sete di conoscenza. Ma ora ditemi: le incantatrici hanno concluso il loro incantesimo di ricerca?»

Fu Geira a rispondere, questa volta.

«Le incantatrici sono riuscite a individuare la Pietra

Nera: si trova nel mondo reale, nascosta sull'Himalaya. Per ora Mordred non sa dove sia, ma non ci metterà molto a trovarla, dicono...»

«Ci hanno detto anche che dovremo recuperarla noi!» esclamai io. «Con tutto il rispetto... come pensate che potremo arrivare in Nepal? E con quali risorse? Nel mondo reale siamo dei ragazzi come tutti gli altri: non possiamo sparire nel nulla! E nessuno di noi può disporre di grandi mezzi...»

Merlino restò in silenzio alcuni istanti, scambiando sguardi preoccupati con gli altri membri del Consiglio, che annuirono.

Poi annunciò in tono grave: «Temo che purtroppo l'unica soluzione possibile sia accettare l'alleanza con Morgana. Cosa che fino a poco fa consideravo impossibile e dannosa, lo so, ma come ha detto Morgana stessa, il nemico del mio nemico, è mio amico. Signorina Pendrake, sarà lei ad avere l'incarico di mettersi in contatto con Morgana, visto che avete già avuto modo di incontrarvi. Ma restate vigili e non fidatevi di lei.»

Poi si alzò in piedi e con un gesto svolazzante della mano ci congedò.

«Rientrerete subito nel mondo reale: la vostra fuga

ha completamente scombinato lo scorrere del tempo. Ora andate, le vostre imbarcazioni vi attendono»

Il peggior ritorno
a casa della mia vita

Sebbene il viaggio a Eea non fosse durato che una sola lunghissima, interminabile, giornata, avevo l'impressione che fossero passati mesi.

Avevo le ossa rotte, il morale sotto i tacchi e lo stomaco chiuso.

Ero furiosa con il Consiglio: ci trattavano da ragazzini e ci bacchettavano di continuo minacciando punizioni come se fossimo dei poppanti, però ci mandavano allo sbaraglio in missioni assurde. E presto ci saremmo ritrovati ancora una volta coinvolti in qualcosa di troppo grande e pericoloso per noi. Ma soprattutto ero furiosa con me stessa: avevo spinto Namid con una violenza che mi spaventava. Avrei potuto fargli davvero male...

Mille pensieri si agitavano nella mia mente. Salutai appena i miei amici e salii a bordo della barca che mi avrebbe riportato a casa. Per una volta ero molto molto contenta di tornare alla vita normale.

Muoio dalla voglia di una tazza di latte fresco con i miei cereali preferiti e di una bella dormita... pensai mentre la nebbia cominciava ad avvolgermi. *Dovrei riuscire a dormire qualche ora poi, prima che mamma e papà si sveglino, preparerò i pancake e una bella spremuta fresca per loro, come quando ero piccola...*

Intanto la solita nebbiolina densa e lattiginosa che incontravo durante il passaggio si dissolse e sentii il sole scaldarmi la pelle. Un po' troppo, forse, per essere l'alba...

La luce improvvisa mi abbagliò e il rumore delle auto mi parve assordante, molto più del solito.

Qualcosa non andava...

Appena riuscii a guardarmi attorno, mi resi conto che sì, mi trovavo al centro del lago di Central Park, come tutte le altre volte, ma sulle rive c'era una folla di gente che faceva jogging, mamme e baby sitter assortite che spingevano passeggini, gruppi di signore in tute dai colori sgargianti che camminavano a passo svelto, coppiette di anziani che passeggiavano chiacchierando...

Ecco cosa non andava: era pieno giorno!

E io ero lì, in mezzo al lago, in piedi su una barchetta senza remi, che avanzava da sola verso la riva, lentamente, troppo lentamente!

Stavo pensando di sdraiarmi sul fondo della barca per non farmi notare, quando vidi sulla riva una vecchietta che si sbracciava, urlando: «Non farlo! Non farlo, ti prego! Non buttarti! Guardie! Guardie! Qualcuno chiami la polizia, anzi no, i vigili! No, no meglio i pompieri!»

Oh no! Che disastro! pensai mettendomi le mani tra i capelli. *Ma quella signora non ha nient'altro di meglio da fare? Sta attirando l'attenzione su di me!*

Ero nei guai, non immaginavo nemmeno quanto...

In pochi minuti, sulle rive del lago si radunò una piccola folla che indicava verso di me, strillando consigli.

Possibile che non si rendessero conto che l'acqua era bassa? Avrei potuto tornare comodamente a riva a nuoto!

Evitai di buttarmi per non peggiorare la situazione, misi la mani a mo' di megafono e gridai «State tranquilli, sto bene! La corrente mi porterà a riva, volevo solo fare un giro! Va tutto bene!»

Ma dalla riva mi giunse il suono di due colpi di sirena e una voce tonante mi avvertì: «Non va tutto bene, sei nei guai, ragazzina! Siediti in fondo alla barca e non muoverti di lì se non vuoi peggiorare la tua situazione!»

Un quarto d'ora dopo, mi ritrovai seduta sul sedile posteriore di un'auto della polizia, mentre i due agenti davanti a me mi facevano l'ennesima lavata di capo in pochi giorni.

Possibile che non me ne andasse bene una?

Alla loro pioggia di domande, risposi a monosillabi. Del resto, come avrei potuto spiegare il mio comportamento? Non potevo certo dire che non avevo intenzione di violare le regole navigando sul lago, e che non mi passava neanche per la testa di tentare il suicidio, ma che invece ero appena ritornata da un viaggio in una dimensione parallela dove, guarda un po', esistevano ancora gli eroi delle antiche leggende e io ero l'erede di Artù in persona!

Quello che invece venni a sapere da loro fu che: primo, era passato mezzogiorno; secondo: mi stavano cercando da diverse ore perché i miei genitori avevano denunciato la mia scomparsa; terzo: avrebbero potuto farmi rapporto.

Mentre mi riaccompagnavano a casa, mi immaginai la scena, come in un film... le sette del mattino, mia madre che bussa alla mia porta, poi apre uno spiraglio e entra, magari con una tazza di caffè in mano, come fa quando si sente un po' in colpa per qualcosa o quando vuole coccolarmi un po'... e non mi trova! Sì, di sicuro questa mattina aveva in mano una tazza di caffè fumante: mi avevano appena messo in punizione perché avevo saltato il compito di matematica...

Non so perché, ma la mia mente si era come bloccata su questo dettaglio, mentre tutto il resto era confuso...

Quando suonammo alla porta, la scena era molto peggio di come l'avevo immaginata...

I miei erano ancora in pigiama, scarmigliati. Mio padre non si era neanche fatto la barba.

Erano seduti al tavolo della cucina, attaccati al telefono. Guardavano fisso davanti a sé tormentandosi con le ipotesi più terrificanti.

La loro prima reazione, devo dire, fu quella giusta: mi abbracciarono forte, ridendo e piangendo insieme per il sollievo.

«Ci hai fatto prendere uno spavento!»

«Ma dov'eri finita?»

Gli agenti raccontarono come e dove mi avevano trovata e si raccomandarono di tenermi d'occhio, e dissero che non mi avrebbero fatto una multa né emesso un verbale, perché sembravo una brava ragazza e non risultava che mi fossi mai messa nei pasticci prima, ma sottolinearono che una bella lavata di capo me la meritavo.

E puntualmente, appena i due agenti furono fuori, la lavata di capo arrivò, eccome!

Rimasi in silenzio, a testa bassa.

Avevano ragione.

«Si può sapere cosa stai combinando?» esordì mio padre. «Ma cosa ti è saltato in mente? Prima salti la scuola, ti mettiamo in punizione e tu cosa fai? Te ne vai fuori nel cuore della notte e ricompari in mezzo al lago di Central Park? Si può sapere che cosa ci facevi lì?»

«Non ti riconosciamo più! Che cosa ti sta succedendo?» aggiunse mia madre con una voce che tradiva il panico.

Io non risposi. Neanche a loro potevo dire la verità.

«Niente... non facevo niente...» farfugliai, «mi spiace che vi siate preoccupati, non succederà più...»

E il mio silenzio li fece esasperare ancora di più.

«Non succederà più? Certo che non succederà più!» gridò mio padre. «Vai in camera tua e di lì non esci finché non lo dico io. Ti sequestro cellulare e computer. E non vedrai i tuoi amici. Nessun contatto con nessuno, nemmeno per studiare, perché sì, studiare sarà l'unica cosa che potrai fare, ma da sola. E a scuola ti accompagniamo e ti veniamo a prendere noi, è chiaro? E non farti venire in mente qualche idea brillante per andartene di nascosto quando saremo al lavoro. Avverto la signora Luisa, ti terrà d'occhio lei. Lo sai che non le sfugge niente di quello che succede nel palazzo. Se tenterai di uscire lo verrò a sapere.»

Tentai una debole protesta. «No, dai! Papà ti prego, non mettere in mezzo la signora Luisa. Mi darà il tormento per i prossimi dieci anni. Già così non si fa i fatti suoi, figuriamoci! E poi non ho due anni...»

Ma, ovviamente, non ci fu niente da fare.

Io andai in camera mia, loro al lavoro, e la signora Luisa di vedetta, in portineria.

Non avevo scampo.

Mi abbattei sul letto, cercando di riordinare le idee...

Da lì sentii i miei discutere ad alta voce, nella loro stanza. Poi li sentii uscire, sbattendo la porta.

Devo mettermi in contatto con Morgana! Come cavolo farò? Non posso mandare un messaggio ai miei amici, né mandare una mail... Non ho scelta, devo andarmene!» mi dissi, aggirandomi nervosamente per la stanza.

Fu allora che misi un piede su una chiazza appiccicosa, proprio accanto alla porta: era un'enorme macchia di caffè, con tanto zucchero, che qualcuno aveva tentato di pulire in modo sommario. Mia madre mi aveva davvero portato il caffè quella mattina, proprio come avevo immaginato...

A quel punto mi sentii veramente uno schifo e, finalmente, scoppiai a piangere.

Piansi per il dispiacere di averla delusa e fatta preoccupare in quel modo, per la rabbia di non poterle dire la verità e per la frustrazione di essere bloccata in casa...

Un bel po' di lacrime (e qualche singhiozzo) dopo, mi addormentai.

Quando mi svegliai, era pomeriggio inoltrato e io mi sentivo decisamente meglio.

Mi tuffai nel frigorifero e mangiai nell'ordine: latte e cereali, due toast con il burro d'arachidi, tre uova strapazzate e mezzo barattolo di gelato.

Intanto elaborai il mio piano.

Dovevo uscire, raggiungere gli edifici della Lefay, parlare con Morgana e ritornare a casa prima che rientrassero i miei. Ma... come fare, visto che la signora Luisa vigilava come un falco dal gabbiotto della portineria?

Trovato!

Avrei usato la scala antincendio!

«Con un po' di fortuna, la portinaia terrà d'occhio solo la scala principale e l'androne» mi dissi sfregandomi le mani «di sicuro non penserà a controllare la scala di sicurezza...»

Controllai l'ora: erano le 4 del pomeriggio, l'ora della sua trasmissione preferita. Era il momento giusto per mettere in atto il mio piano.

Qualche istante dopo sentii partire le note struggenti della sigla. Era iniziata la telenovela strappalacrime di cui la signora Luisa non perdeva mai una puntata!

«Ora o mai più!» mi dissi. «Ce la puoi fare, Angy!»

Poi mi affacciai alla finestra del salotto, scavalcai con cautela il davanzale e mi ritrovai sul pianerottolo in metallo della scala antincendio.

Iniziai a scendere, piano, un gradino alla volta, cercando di non far rumore, ma i miei passi facevano vibrare il metallo ed echeggiavano nel vicolo stretto e buio su cui si affacciava il retro del palazzo.

Quando finalmente, dopo l'ultimo gradino, con un saltello toccai l'asfalto, sospirai di sollievo...

«Non ci posso credere! Ce l'ho fatta!» esclamai.

«Ce l'hai fatta a fare cosa, esattamente?» chiese una voce da dietro l'angolo del vicolo. «Pensavi di farmela, furbina? Ho usato questo trucco molto prima di te, sai? Tornatene di sopra: ordini di mister Pendrake.»

Era la signora Luisa, mi aveva beccato! O forse era più furba di quello che pensavo e mi stava aspettando al varco: mi aveva teso una trappola, con la telenovela e tutto il resto...

Tornai in camera mia, con il morale sotto i tacchi e la testa piena di pensieri cupi. «E adesso, come cavolo faccio a contattare Morgaine?»

Mi sedetti sul letto, e fu allora che vidi sul mio comodino un rettangolino di cartoncino nero...

Sembra veramente ridicolo…

Il biglietto da visita di Morgana se ne stava lì, esattamente nella stessa posizione in cui l'avevo lasciato ventiquattro ore prima.

Con tutto quello che mi era successo a Eea, era veramente strano rendersi conto che nel mondo reale era passato così poco tempo.

Lo sollevai tra pollice e indice, e lo esaminai da vicino. Sembrava proprio un normale biglietto da visita, di cartoncino sottile ma rigido, di ottima qualità.

La carta era opaca e perfettamente nera, e a parte la sigla "LF" impressa in rilievo, in lucide lettere argentate, non c'era scritto assolutamente nulla, non un indirizzo, non un numero di telefono, né una mail…

«Uhm...» strinsi gli occhi, osservandolo sospettosa, aspettandomi che vi apparisse qualcosa da un momento all'altro. Ma niente.

Sempre reggendolo tra pollice e indice per un angolo, lo agitai, prima piano, poi freneticamente. Ancora niente.

Lo avvicinai all'orecchio, e mormorai: «...Pronto? Miss Lefay? ...Morgaine? C'è qualcuno?»

Non ebbe effetto, se non quello di farmi sentire decisamente stupida.

Sospirai, abbassando il biglietto e rigirandomelo tra le mani.

Mi sembrava assurdo però che Morgaine me l'avesse dato se fosse stato davvero inutile come sembrava. Così, prima di arrendermi, feci un ultimo disperato tentativo, e dissi: «Abbiamo bisogno del tuo aiuto... sappiamo dov'è la Pietra Nera, ma non abbiamo i mezzi per raggiungerla. E non c'è tempo da perdere, perché sicuramente Mordred si sta già dirigendo lì!» Esitai, e dopo un momento mi schiarii la voce e aggiunsi: «E poi, ecco, c'è un problema un po' imbarazzante: sono stata messa in castigo... I miei mi hanno chiuso in casa e non so come fare ad uscire, figuriamoci ad andare sull'Himalaya a prendere una pietra magica prima che uno stregone maligno la trovi! Wow, sembra veramente ridicolo quando lo dico ad alta voce. E a un pezzetto di carta, per di più...»

Tirai un enorme sospiro e mi lasciai cadere all'indietro sul letto. Ero talmente sconfortata che mi sembrò di essere prosciugata di tutte le mie forze.

Dovetti essermi addormentata senza accorgermene, perché venni svegliata, chissà quante ore dopo, dal suono del campanello che trillava.

Grugnendo e strofinandomi le palpebre, sciabattai fino alla porta di ingresso, e quando la aprii mi trovai di fronte il volto perplesso della portinaia, che teneva in mano un vecchio telefono cordless.

«È per lei signorina Pendrake, è suo padre» disse, passandomi il telefono.

Per un attimo, nella confusione del risveglio, non capii perché avesse chiamato la portinaia per contattare me, ma poi mi ricordai che mi avevano tolto sia il cellulare che il computer.

Subito mi tornò il malumore, e accettai il telefono che la portinaia mi porgeva borbottando un "grazie" poco convinto.

«Sì, papà, dimmi» sospirai alla cornetta.

«Ciao piccola, senti, hai il permesso di andare: un'opportunità del genere non si presenta tutti i giorni. Il tuo castigo per adesso è sospeso e ricomincerà quando torni...»

«...quando torno da dove?»

«Ma come, non ti è arrivata la comunicazione? Ho visto che eri in copia nella mail che ci hanno mandato...»

«Magari la mail mi è anche arrivata, ma non ho potuto leggerla, visto che sono senza computer né cellulare, papà.»

«Ehm, giusto, giusto...» tossicchiò lui. «Beh, in sostanza, pare che tu abbia fatto un'ottima impressione durante il tuo stage alla Lefay Enterprises, e sia stata selezionata, assieme ad altri cinque ragazzi, per un viaggio attorno al mondo al seguito di Morgaine Lefay in persona, una specie di apprendistato insomma, che potrebbe garantirvi un posto di lavoro assicurato alla Lefay Inc. dopo il college, per non parlare della borsa di studio che...»

«Ah sì, ho capito, me l'avevano accennato,» lo interruppi io, per tagliare corto: «E fammi indovinare... c'è una macchina che mi aspetta davanti alla porta di casa?»

«Ehm, sì, hai indovinato! E hanno detto di scendere il prima possibile perché...»

«...perché partiamo immediatamente» conclusi con un sospiro. «Grazie papà, vado a preparare le mie cose.»

«Fai buon viaggio!» disse lui, ma io chiusi la chiamata prima di rispondergli, perché ero ancora parecchio offesa per via del castigo esagerato.

Restituii il cordless alla portinaia, la ringraziai e me ne tornai di corsa in camera mia, a riempire in fretta e furia uno zaino da escursione con tutto quello che pensai potesse essermi utile.

Con il mio zainone sulle spalle, scendendo i gradini a due a due, uscii dal palazzo, ed effettivamente mi trovai di fronte a un'auto nera, con in vetri neri, parcheggiata proprio di fronte all'ingresso.

Un autista grande e grosso, in giacca nera e occhiali neri, mi stava aspettando con le braccia incrociate. Quando mi vide, senza dire una parola, mi prese lo zaino, lo infilò nel bagagliaio dell'auto, e mi aprì la portiera del passeggero.

Non fui per niente sorpresa di trovare Morgaine già seduta all'interno, a parlare al telefono. Invece del solito tailleur, indossava dei pantaloni neri e una camicia di seta senza colletto, e nonostante fosse un po' meno elegante del solito e sembrasse più pronta all'azione, mi sentii comunque un po' a disagio con i miei jeans strappati e la maglietta del giorno prima.

Vedendomi esitare, senza smettere di parlare al telefono, Morgaine girò gli occhi verdi verso di me, e con un cenno impaziente del capo mi fece cenno di entrare.

Mi affrettai a obbedire, e appena mi fui seduta, vidi che davanti, di fianco al guidatore, era seduta la ragazza bionda che avevo già visto in un paio di occasioni, di cui sul momento non ricordai il nome.

La macchina si mise in moto. Morgaine intanto continuava a parlare al telefono, e colsi uno stralcio di conversazione: «…se ci affrettiamo arriveremo a Toronto poco dopo l'una di notte, e entro mezzogiorno di domani saremo in Europa a prendere anche l'ultimo ragazzino. Assicurati che si faccia trovare già all'aeroporto pronto a partire.» E con un sospiro, chiuse la telefonata.

Dopo un attimo di silenzio, tossicchiai e dissi: «Ehm, quindi… dove stiamo andando?»

Mi lanciò un'occhiata scocciata: «A prendere i tuoi amici, ovviamente. Ma basta chiacchiere inutili: dimmi quello che avete scoperto sulla Pietra Nera, e sui piani di Mordred.»

Che altro potevo fare?

Le raccontai tutto, per filo e per segno. Era dopotutto la nostra alleata più importante nella lotta contro Mordred. Anzi, l'unica alleata su cui potevamo contare in quel momento.

Mi sento così sciocca ora se penso alla fiducia e alla precisione con cui le rivelai tutto quello che sapevo...

Insomma, per tutto il viaggio in macchina Morgaine ascoltò in completo silenzio quello che dicevo, con lo sguardo fisso in un punto imprecisato oltre la mia spalla, come se fosse impegnata, oltre a sentire quello che dicevo, a elaborare chissà quali macchinazioni.

Dopo una mezzoretta passata in questa maniera, la macchina si fermò e, guardando per la prima volta fuori dal finestrino, mi accorsi che eravamo arrivati in un aeroporto privato.

Da un capannone, al cui interno intravidi vari container e la coda di un jet, uscì a passo svelto Miller, il ragazzo che mi aveva salvata dal tentativo di rapimento di qualche giorno prima. Indossava un paio di occhiali neri, all'orecchio teneva un cellulare e parlava concitato.

L'autista scese dalla macchina e aprì la portiera a Morgaine. Io non mi aspettavo certo che facesse lo stesso per me, e uscii dall'auto per conto mio.

Intanto Miller ci aveva raggiunti, e nonostante parlasse sottovoce, sentii che diceva a Morgaine: «...atterrerà tra cinque minuti, e dopo un rapido rifornimento saremo pronti a partire di nuovo.»

Io alzai lo sguardo verso l'orizzonte e in effetti tra le nuvole mi parve di scorgere, ancora molto in alto, un aereo che si muoveva verso di noi, scendendo a poco a poco di quota.

Mentre attendevo l'atterraggio dell'aereo, passai il tempo a girarmi i pollici e a guardarmi intorno. Nel frattempo, la stagista bionda, con la stessa teatralità di un mago che tira fuori il coniglio dal cappello, tirò fuori dalla cartella che si portava appresso uno shaker color argento e si affrettò a versare a Morgaine un cocktail color ambra, che lei prese a sorseggiare distrattamente.

Sbarrai gli occhi. Avevo già visto diverse volte Morgaine bere quello stesso liquido ambrato... ma questa volta sapevo che si trattava di ambrosia, e che lei ne aveva assoluto bisogno per rimanere immortale!

Fui presto distratta dai miei pensieri: l'aereo aveva toccato terra.

Immediatamente, lo staff dell'aeroporto si avvicinò

con il camioncino del carburante e la scaletta venne attaccata al portellone.

Dopo meno di un minuto, comparve un uomo brizzolato in completo nero, e dietro le sue spalle spuntarono due visi familiari: erano Tyra e Geira, che si guardavano attorno con aria un po' spaesata.

Senza dire una parola, Morgaine e il suo entourage si avviarono verso l'aereo, e a me non restò altro che trotterellare dietro di loro, agitando il braccio per salutare le mie amiche.

Oltrepassato il portellone, rimasi per un attimo senza parole di fronte al lusso che mi trovai davanti.

L'interno dell'aereo sembrava la scena tratta da un film.

Era moderno ed elegante, decorato con lo stesso buon gusto degli uffici della Lefay Enterprises. A ridosso dei finestrini c'erano otto poltroncine reclinabili, dall'aria morbidissima, rivestite di pelle, e su entrambe le pareti c'era un enorme televisore a schermo piatto.

La coda dell'aereo era nascosta alla vista da una parete di legno lucido, e immaginai che richiudesse una cabina privata. Supposizione che venne immediatamente confermata qualche istante dopo, quando Morgaine vi si diresse, senza dire una parola, seguita dai suoi stagisti che reggevano un paio di valige ciascuno.

Pochi secondi dopo, ne uscirono a mani vuote e si sedettero vicino alla cabina, in una posizione che permetteva loro di tenere d'occhio tutto l'aereo, soprattutto noi.

Me ne rimasi in piedi senza sapere assolutamente cosa fare, vicino a Tyra e Geira, che sembravano altrettanto interdette.

«Ehilà, che ci fate da queste parti?» dissi io, per sdrammatizzare.

Tyra ridacchiò: «Beh, direi, esattamente quello che ci fai tu! Stamattina si sono presentati davanti a casa nostra dei tizi in completo elegante che ci hanno detto di lavorare per Morgaine Lefay, che c'era un aereo che ci aspettava, e che non c'era tempo da perdere...»

«Normalmente non gli avrei creduto» disse Geira, «ma avevano con sé una registrazione della tua voce, che chiedevi aiuto a Morgaine...»

«...visto che non eravamo riuscite a contattarti né sul cellulare né online, e che il tempo stringeva, non avevamo altro scelta se non seguirli. A dire la verità stavamo pure iniziando a preoccuparci...» aggiunse Tyra.

A Geira sfuggì un sorrisetto divertito. «Mi dispiace per il castigo, a proposito. Come sei riuscita a risolvere la questione?»

«Beh, i miei pensano che stia andando a un prestigiosissimo stage e hanno sospeso il castigo fino al mio ritorno... Però hanno ancora il mio cellulare e il portatile!»

«A questo proposito...» disse alle nostre spalle una voce con un marcato accento francese, e girandomi vidi la stagista bionda di Morgaine (aiutata dall'accento, mi ricordai che si chiamava Amelie) alzarsi e avvicinarsi a noi, portando appresso la propria cartella.

Da questa estrasse il mio portatile e il mio cellulare, che mi porse con aria soddisfatta.

«Prima di partire Madame Lefay mi ha mandato a prenderli dall'ufficio dei tuoi genitori. Devi starle simpatica, se scomoda i suoi collaboratori per una sciocchezza del genere...»

Amelie ci scrutò con i suoi occhi castani dietro gli occhiali dalla montatura spessa, con un'espressione compiaciuta di sé che trovai lievemente fastidiosa.

Dopo quella breve pausa, aggiunse: «Vi conviene sedervi e allacciare le cinture. Decolleremo fra pochissimo.»

Detto questo tornò al suo posto, e Tyra, dandole le spalle, arricciò le labbra come se avesse la puzza sotto il naso e muovendo la bocca senza parlare la scimmiottò: "Vi conviene sedervi…"

Mi scappò una risatina, che mi affrettai a mascherare in un colpo di tosse. Forse quel viaggio non sarebbe stato così tremendo, come pensavo, dopotutto…

Foie gras, caviale e sushi

Pochi minuti dopo il decollo, una voce maschile all'altoparlante annunciò che in circa un'ora e mezzo saremmo arrivati a Toronto, e che potevamo slacciarci le cinture.

Le mie amiche e io ci eravamo sedute nel gruppo di quattro poltroncine dalla parte opposta rispetto alla cabina di Morgaine, e parlavamo sottovoce per non farci sentire dai suoi stagisti.

«...comunque mi sembra abbastanza inquietante che Morgana sapesse esattamente dove abito» diceva Tyra.

Geira annuì. «È chiaro che ha raccolto informazioni su ognuno di noi e la cosa non mi piace.»

«Beh, però bisogna ammettere che per il momento

ha usato quelle informazioni soltanto per aiutarci...» feci notare io.

«Ma fino a quando sarà così? Non dobbiamo abbassare la guardia, Angy...» disse Tyra.

In quel momento, di fianco a noi, si aprì una porta scorrevole. Ne uscì una signorina in tailleur nero che portava attorno al collo un foulard di seta nera con il logo della Lefay stampato in argento e spingeva un carrellino di legno laccato.

«Gradite qualcosa da bere o da mangiare?»

Con un brontolio imbarazzante, il mio stomaco mi fece notare che non avevo ancora pranzato.

«In effetti a me non dispiacerebbe mangiare qualcosa...»

«Possiamo offrirle *hors d'oeuvres*, *foie gras*, caviale e *sushi* preparato al momento...»

Mi scappò una risatina nervosa.

«Uhm... non avreste piuttosto un panino, o che so, un pacchetto di patatine...»

La hostess alzò un sopracciglio perfettamente disegnato, ma a parte quello non diede nessun altro segno di scomporsi, e disse: «Sono desolata, miss. Siamo sforniti di... snack commerciali, ma possiamo prepararle dei sandwich. Voi invece gradite qualcosa?».

Geira scrollò le spalle: «Magari un'aranciata.»

La hostess tossicchiò. «Purtroppo non abbiamo aranciata, ma posso offrirle un'acqua tonica o un seltz...»

Come se volesse venire in suo soccorso, Tyra disse: «Prima ha detto che avete del sushi, ne prenderei volentieri, per cortesia...»

La hostess parve illuminarsi. «Ma certo signorina, glielo faccio preparare immediatamente.»

Quando si fu allontanata, non riuscimmo a trattenerci dallo scoppiare a ridere, guadagnandoci gli sguardi di disapprovazione di Amelie e Miller.

Passammo tutto il tempo a mangiare sushi e a guardare un film sull'*home theatre* di bordo, sprofondate nelle comodissime poltroncine di pelle.

Quando finalmente il pilota annunciò che si preparava all'atterraggio, guardando dal finestrino vidi che stavamo scendendo verso un aeroporto internazionale.

«Il vostro amico Robert dovrebbe essere già lì ad aspettarvi» disse Amelie, che era ancora una volta comparsa silenziosamente alle nostre spalle. «E fra circa due ore atterrerà anche Halil Siegfriedson dal volo di linea che ha preso dall'Europa. Quando ci sarete tutti, ripartiremo per il Nepal...»

Anche Miller ci si era avvicinato. «In queste due ore potrete girare liberamente per l'aeroporto, ma la signora Lefay ci ha chiesto di starvi appresso e non perdervi di vista, per la vostra sicurezza.»

Io sbuffai. «E com'è che ve l'ha chiesto, visto che se n'è stata tutto il tempo chiusa nella sua cabina?

Per tutta risposta, Miller si picchiettò un orecchio dove, notai, aveva un auricolare dal filo arricciato che spariva nel colletto della camicia. «Non vi conviene fare scherzi, perché siamo sempre in contatto con lei.»

«Non dovete controllarci, non siamo vostri prigionieri!» ribatté Tyra senza nascondere la propria stizza.

«No, siamo alleati, ma fino a poco tempo fa non lo eravamo. Perciò perdonateci se vogliamo essere sicuri che non ci tradiate.» disse Amelie.

«E chi ci assicura che non proviate a tradirci voi, invece?» sibilò Tyra.

Geira le mise una mano sulla spalla per calmarla, e disse: «Non è ancora successo nulla, cerchiamo di rimanere collaborativi, la missione è ancora lunga ed è appena cominciata…»

In quel momento l'aereo atterrò dolcemente sulla pista.

Quando ci fu permesso di sbarcare, ci dirigemmo verso

l'area arrivi dell'aeroporto in cerca di Rob, mentre Amelie e Miller ci seguivano a pochi metri di distanza, impettiti e corrucciati, come due guardie del corpo.

Dopo aver camminato per qualche minuto nei corridoi circolari dai tetti di vetro dell'aeroporto, ci trovammo in una sala d'attesa piuttosto affollata, ma dove comunque non ebbi difficoltà a individuare Rob, grazie ai suoi capelli color carota.

Era seduto a gambe larghe con lo skateboard tra le ginocchia e uno zainone sotto i piedi, ma invece di indossare una delle sue solite magliette con citazioni della cultura pop, portava una tuta verde fluo come quella di un netturbino, che in contrasto con il colore dei suoi capelli faceva quasi male agli occhi.

Infatti appena lo vide, Tyra si aggrappò al braccio di Geira gemendo: «Oh, cielo...»

Io invece corsi subito verso di lui, senza riuscire a frenare il sorriso che mi si allargava sul volto.

Ma rallentai di colpo appena mi accorsi che di fianco a lui c'erano due uomini massicci in completo nero, uno pelato e l'altro con i capelli lucidi di gel, entrambi con la sigla "LF" ricamata sul taschino della giacca.

Appena mi vide, Rob corse ad abbracciarmi, e da vicino mi accorsi che non profumava esattamente di rose...

Io tirai la testa all'indietro con una smorfia. «Ugh, Rob, sai che ti voglio bene ma... puzzi come se avessi fatto il bagno in un cassonetto dell'immondizia.»

Lui mi lasciò andare, e vidi che era tutto rosso in volto: «Beh, ehm, in effetti è proprio quello che è successo! Stavo facendo i miei "lavori socialmente utili" quando gli uomini di Morgana sono venuti a prendermi, anzi a salvarmi, stavo svuotando tutte le pattumiere della mensa scolastica» disse, strofinandosi il naso con un sorrisetto imbarazzato.

«Allora visto che abbiamo ancora due ore prima che atterri anche Halil, posso suggerirti di fare un *pit stop* nei bagni per cambiarti e darti una rinfrescata?» intervenne Tyra, che era ancora aggrappata a Geira e mezza nascosta dietro di lei quasi la usasse come scudo contro la puzza di Rob.

Sul volto di Rob si allargò un sorriso furfante.

«Ciao Tyra! Hai proprio la faccia di una che ha voglia di un bell'abbraccio...» disse tendendo le braccia e avanzando verso di lei, che si riparò completamente dietro la schiena di Geira con uno squittio di terrore. Ma non aveva calcolato che Rob, alto com'era, aveva anche le braccia molto lunghe, e riuscì senza problemi a stringerle entrambe in un unico abbraccio aromatizzato alla pattumiera, tra le mie risate e le loro disperate grida di protesta.

Ma alla fine Rob ebbe pietà di noi: se ne andò nei bagni a lavarsi e a cambiarsi e ne uscì profumato di sapone commerciale e vestito con una maglietta dei supereroi un po' smangiata dalle tarme. Con nostro grande sollievo ci assicurò che la sua tuta da netturbino sarebbe rimasta a Toronto.

Trascorremmo le due ore successive a passeggiare nell'aeroporto, guardando gli articoli esposti nei negozi *duty free* e sfogliando i fumetti nelle edicole.

Rob si fece richiamare ben tre volte dallo staff dell'aeroporto perché continuava ad andare in skateboard nei corridoi. Alla fine, per evitare che attirasse troppo l'attenzione, Miller glielo confiscò, guadagnandosi da parte del mio amico una serie di occhiatacce che avrebbero potuto far cagliare il latte.

Già allora ebbi il sospetto che non sarebbero andati molto d'accordo...

Finalmente arrivò anche Halil, trascinandosi dietro un grosso trolley, vestito come sempre all'ultima moda e con gli occhiali scuri nonostante fossimo all'interno. Quasi non facemmo in tempo a salutarlo, che lo staff di

Morgaine ci intimò di sbrigarci perché dovevamo ripartire.

Tornammo a passo svelto verso le piste, dove il camioncino dei rifornimenti si stava già allontanando dall'aereo privato di Morgaine, mentre gli addetti si affrettavano a caricare casse e pacchi nella stiva.

Quando salimmo a bordo, mi stupii nel vedere che Morgaine era uscita dalla sua cabina privata, ed era seduta su una delle otto poltroncine di pelle, che erano state girate in modo da fronteggiarsi.

Morgaine ci scrutò per un attimo da sotto le ciglia scure, agitando il solito bicchiere da cocktail che teneva in mano, che ora sapevamo essere pieno di ambrosia.

«Sedetevi» ordinò. «Dobbiamo parlare del nostro piano d'azione.»

Immediatamente Miller e Amelie andarono a piazzarsi alla sua destra e alla sua sinistra, allacciandosi le cinture di sicurezza. Dopo un attimo di esitazione, anche i miei amici e io sedemmo nei posti rimasti.

«Atterreremo a Kathmandu fra circa quindici ore. I miei collaboratori hanno ottenuto l'accesso a una serie di telecamere di sorveglianza in un'ampia area attorno alla città, e ci faranno sapere il prima possibile se vedranno dei movimenti da parte dei seguaci di Mordred» spiegò

Morgaine. «Al nostro arrivo, ci aspetterà un elicottero pronto a partire verso l'Himalaya. L'equipaggiamento necessario alla spedizione è già a bordo: se non volete morire di ipotermia vi consiglio di indossarlo prima di uscire, perché l'elicottero partirà immediatamente. Non abbiamo neanche un secondo da perdere, se vogliamo raggiungere la Pietra Nera prima di Mordred.

«Ma... scusi un attimo signora Morgaine, ehm, scusi se la interrompo...» disse Rob, che si beccò una raggelante occhiata verde acido, ma continuò lo stesso imperterrito con la sua domanda, «lei per caso ha capito che cosa vuole fare Mordred con la pietra? Nessuno ad Avalon lo sa, neanche le incantatrici. Dicono tutti che è pericolosa e potente e che se Mordred la prendesse sarebbero guai per tutti... ma nessuno ha saputo dirci in che modo potrebbe utilizzarla. Lei lo sa? O comunque, ha qualche sospetto? Insomma, tra supercattivi ci si intende, no?»

Morgaine per un attimo non gli rispose, ma lo guardò fisso, stringendo leggermente le palpebre, come un serpente pronto a mordere.

Rob, visibilmente nervoso, si allargò il colletto della maglietta, e vidi il suo pomo d'Adamo alzarsi ed abbassarsi più volte come se avesse qualcosa incastrato in gola.

Finalmente Morgaine disse: «Mordred era l'unico erede di Artù, che non aveva figli. Quando era solo un bambino, ha visto Arthur diventare re d'Inghilterra, circondato da grande stima e onori. Sua madre Morgause, mia sorella da parte di madre, ha fomentato il suo senso di onnipotenza di adolescente, facendogli credere che lui sarebbe stato un re migliore di Arthur. Mordred è cresciuto in un clima malato, pieno d'odio e risentimento, che hanno accresciuto la sua ambizione sfrenata e l'hanno reso capace di fare qualsiasi cosa pur di ottenere quello che, ai suoi occhi, gli spettava. Allora credevo che si trattasse di semplice brama di potere, quella che molti uomini hanno, e pensai di poterla usare a mio vantaggio, di poter utilizzare Mordred come un'arma per ottenere quello che volevo.»

Morgaine fece per bere un altro sorso dal proprio bicchiere, ma si bloccò a mezz'aria accorgendosi che era vuoto. I suoi occhi rimasero fissi sulle poche gocce ambrate rimaste sul fondo.

Continuò: «Avevo calcolato male. Non era Camelot che voleva, ma l'autorità stessa e il prestigio che Arthur possedeva, ed era disposto a tutto pur di ottenerle. Ha tentato di ucciderlo, e ha fallito: quando scomparve nel velo tra i mondi, Arthur portò con sé Excalibur e tutto quello che rappresentava, tutto il proprio potere...»

Morgaine trasse un respiro più profondo degli altri, e per un attimo mi parve infinitamente triste.

«Mordred vuole quello che ha sempre voluto, quello che pensa gli spetti di diritto: l'autorità, la dignità di re, il rispetto e l'amore che Arthur suscitava negli altri. Ora che Arthur non c'è più, forse Mordred, nella sua mente corrotta dal tempo e dal risentimento, pensa che la Pietra Nera sia la chiave per ottenere tutto questo. A proposito... Angy, mi auguro che lui non scopra mai che tu sei l'erede di Arthur e che hai trovato Excalibur, o per te sarà la fine.

Io sprofondai nella mia poltrona, sbuffando: «Ah, bene. Questa mi mancava proprio, grazie tanto per la bella notizia. Mordred potrebbe volermi ammazzare, fantastico!»

Tyra tentò di consolarmi:« Beh, per il momento non lo sa, per cui non preoccupiamoci di questo, no? Piuttosto, come intende usare la pietra? Vuole assorbire la magia delle altre persone?».

Morgaine volse lo sguardo verso di lei, e annuì.

Tyra continuò: «Ma non ha senso! Cosa pensa di fare, derubare le incantatrici e gli incantatori del loro potere uno alla volta? O ci stiamo sbagliando, o ha trovato un altro modo per usare la pietra...»

«Esattamente. Hai una mente brillante, Tyra. Era da tempo che non vedevo un'incantatrice con le tue potenzialità» disse Morgaine con fare noncurante, porgendo il bicchiere vuoto ad Amelie, che si affrettò a portarlo via.

«Mordred vuole approfittare di una condizione molto particolare, che purtroppo per noi sta per verificarsi...» proseguì Morgaine. «Fra ventotto giorni esatti ci sarà un'eclissi totale di Luna, la più lunga del secolo: la Luna infatti si troverà all'apogeo, cioè nel suo punto più lontano dalla Terra. Sarà un'eclissi particolarmente lunga e potente.»

Fece una lunga pausa bevendo piccoli sorsi di ambrosia dal bicchiere che Amelie le aveva appena riportato, pieno fino all'orlo.

«Non è un caso se le eclissi totali di luna sono chiamate anche 'Luna Rossa' o 'Luna di sangue': sono congiunture potenti, in cui gli incantesimi malvagi vengono rafforzati. Anche la Pietra Nera amplificherà enormemente il suo potere...» continuò cupa Morgana, gli occhi due fessure color palude. «Mordred ne approfitterà per convogliare su di sé il potere di tutti gli incantatori in un solo colpo. E questa volta, la Luna di Sangue durerà un'ora e quarantatré minuti: un tempo sufficiente perché Mordred riesca a diventare così forte da distruggerci tutti.»

A UN PASSO DALLA PIETRA NERA

Dopo un giorno e una notte trascorsi in volo, atterrammo a Kathmandu, già intabarrati negli abiti da montagna che avevamo indossato prima dell'arrivo. Naturalmente avevo un caldo tremendo! Avrei voluto togliermi almeno giacca a vento e pile, ma come ci aveva preannunciato Morgaine, l'elicottero ci aspettava con le pale già in movimento, e non mi restò altra scelta che raggiungerlo (e di corsa, perdipiù!) senza avere neanche il tempo di godermi la vista del cielo azzurro.

Avevo fatto a malapena in tempo a sedermi, allacciare le cinture e indossare i paraorecchie protettivi, che l'elicottero iniziò ad alzarsi ondeggiando verso il cielo.

Con un po' di rimpianto, vidi le case rimpicciolirsi sotto di noi fino a diventare un'unica macchia grigia.

«Accidenti! È la prima, e probabilmente unica, volta che faccio un viaggio in un posto interessante e non posso neanche fermarmi a visitare la città!» brontolai tra me e me.

Ma non dissi nulla. Ovviamente avevamo ben altro a cui pensare e mi accontentai di osservare quel magnifico panorama dall'alto.

Man mano che il nostro viaggio proseguiva, il profilo delle montagne si faceva sempre più definito all'orizzonte e ben presto, dietro una prima linea di vette dolci e coperte da una fitta foresta verde acceso, vidi comparire una fila compatta di cime altissime e bianche di neve.

Era verso quelle che ci stavamo dirigendo.

Nonostante fossi protetta dall'abitacolo dell'elicottero, sentii la temperatura calare gradualmente attorno a me. Per circa un'ora l'elicottero avanzò tra le valli dell'Himalaya, poi iniziò ad abbassarsi verso un pianoro sassoso in cima a un passo, circondato da vette aguzze e punteggiato da una manciata di tende bianche tra cui si aggiravano una decina di persone.

Appena misi il piede fuori dall'elicottero mi sentii la

testa leggera e le gambe molli.

«Quanto siamo alti?» chiese Rob, con il naso per aria.

«Non tanto, per essere sull'Himalaya. Direi poco più di quattromila metri» rispose Miller.

Due delle persone che erano già lì, si avvicinarono. Erano entrambi nepalesi, uno appena adulto e l'altro quasi anziano, e indossavano abiti da escursione professionali.

Si assomigliavano molto, e pensai che potessero essere padre e figlio.

«Siamo pronti a partire immediatamente, come avevate richiesto» disse il più giovane in un inglese perfetto.

«Però vi ripeto che sarebbe preferibile passare un po' di tempo al campo base per abituarsi all'altitudine, prima di proseguire.»

«Non abbiamo tempo per acclimatarci. E comunque la nostra destinazione è molto vicina» rispose Morgaine.

Io in realtà mi sarei fermata volentieri al campo, perché da quando avevo messo piede fuori dall'elicottero ero in preda al mal di testa e a una nausea fortissima.

«Non mi sento molto bene...» balbettai.

«La vostra amica ha il mal di montagna» commentò una delle guide, dopo avermi osservata con sguardo critico. «Può essere molto pericoloso.»

«Dovrà farsi forza, non possiamo aspettare. Dobbiamo proseguire a tutti i costi» disse Morgana, e riprese ad avanzare senza neanche degnarmi di uno sguardo.

Imboccammo un sentiero che si inerpicava tra le rocce.

Io seguii gli altri senza lamentarmi, ma le gambe non mi reggevano e ogni passo mi costava uno sforzo immenso.

Per fortuna Rob rimase vicino a me, pronto a sostenermi se vacillavo.

Dopo circa un'ora di sofferenza arrivammo a un lago ghiacciato, accanto al quale sorgevano le rovine di un antico edificio, probabilmente una fortezza.

«Potete tornare al campo base, vi raggiungeremo quando avremo finito» ordinò Morgana alle guide.

«Signora Lefay, non è sicuro stare qui da soli...»

«Grazie per l'ottimo lavoro svolto, vi siete meritati una generosa mancia, oltre al compenso stabilito» tagliò corto Morgaine, e i due non poterono fare altro che allontanarsi, scuotendo la testa e borbottando tra loro in nepali.

Quando furono scomparsi oltre il sentiero, Miller

disse: «Secondo le coordinate che ci avete dato, il nascondiglio della Pietra Nera si trova esattamente sotto di noi... ma non sappiamo come raggiungerlo.»

«Credo di sentire qualcosa...» disse Tyra «C'è una strana forza che attira tutta l'energia attorno a sé, come una specie di magnete.»

«Sei percettiva Tyra, la sento anche io. Percepisco anche che questa forza è contenuta in uno spazio chiuso, e questo mi fa supporre che la Pietra Nera si trovi all'interno di una caverna sotterranea.» aggiunse Morgaine.

«E come possiamo raggiungerla? Non vedo grotte o fenditure nella roccia che possano essere l'ingresso per questa misteriosa caverna sotterranea...» osservò Halil.

Senza rispondergli, Morgaine avanzò fino al centro del lago e sollevò le braccia.

Dalle profondità del lago, cominciarono a scaturire scricchiolii e echi profondi, che sembravano lamenti di giganti.

Quando Morgaine abbassò le braccia, davanti a lei si era aperta una scalinata scavata nel ghiaccio, che scendeva verso il basso, sotto il fondo del lago.

Morgaine si girò verso di noi, che eravamo rimasti a bocca aperta, e ordinò: «Muovetevi.»

Ci affrettammo a raggiungerla, ma lei non entrò con noi. Ci fece cenno di proseguire da soli e rimase in piedi a parlare a una radio trasmittente, organizzando chissà cosa.

Incalzati da Miller e Amelie, scendemmo giù per i gradini ghiacciati, con grande cautela e tenendoci alla parete per non scivolare. A metà discesa, quando l'oscurità aumentò al punto che quasi non riuscivo più a vedere dove mettere i piedi, Tyra fece comparire nel palmo della mano una fiammella di luce bianca.

Giunta in fondo alla scalinata, fu solo grazie a questo lieve chiarore che riuscii a notare una grotta molto strana...

«Ehi, guardate qua! Tyra, fammi luce...» esclamai emozionata. «La roccia è troppo regolare. E mi pare di aver visto delle incisioni tutto attorno all'ingresso...»

«Sì, hai ragione. È un portale scolpito!» confermò Tyra sollevando la fiammella per illuminare meglio. «Siamo sulla strada giusta. Per di qua, ragazzi!»

Io la seguii un po' titubante.

«Ehm, secondo voi possiamo fidarci? Chissà cosa vorranno dire quelle iscrizioni? E se fossero un avvertimento? O, che ne so, una maledizione...»

Tyra mi mise una mano sulla spalla e tentò di tranquillizzarmi: «Ma no, sono solo decorazioni! Se ci fosse un incantesimo malvagio, me ne accorgerei...»

Io però ero comunque spaventata. C'era qualcosa che mi metteva ansia in quella situazione, forse era l'idea di trovarsi al chiuso, tanti metri sotto terra...

Dopo qualche minuto di cammino, sbucammo in un'enorme sala, completamente buia, a parte una strana e vaga luce violacea, che pulsava ritmicamente al centro.

Incuriosita, feci qualche passo in quella direzione, ma prima che potessi avvicinarmi e guardare meglio, una forte esplosione scosse la caverna. Le pareti tremarono e una nuvola di polvere e ghiaccio cadde dalla volta.

«Cosa... cosa è stato?» balbettai.

«Niente di buono, temo...» mormorò Hal.

In quel momento udii un rombo cupo e le pareti della grotta furono scosse da una forte vibrazione.

«Qui crolla tutto... scappiamo!» gridò Amelie.

«Ma la pietra...» iniziò a protestare Tyra.

«Troveremo un altro ingresso!» esclamò Miller.

Ci fu una seconda scossa. Polvere e sassi cominciarono a piovere a manciate giù dal soffitto.

«Via da qui!» urlò Geira, spazzando via tutta la nostra

esitazione: ci girammo e corremmo verso l'ingresso.

Non osai voltarmi indietro ma sentivo un rumore di sassi e macerie alle mie spalle, mentre tutto attorno a noi si alzavano nuvole di polvere che ci riempivano occhi, bocca, naso... era quasi impossibile respirare!

Raggiunsi l'uscita a fatica, seguendo le sagome scure dei miei amici in mezzo a tutta quella polvere.

«Siamo fuori! Ce l'abbiamo fatta!» esclamai girandomi a cercare Rob, ma proprio in quel momento i gradini di ghiaccio della scalinata iniziarono a vibrare, a incrinarsi e a spezzarsi sotto i nostri piedi.

«Via, via, via, forza!» gridò Hal.

Non so come, forse fu solo fortuna, la forza della disperazione, o una buona dose di adrenalina, ma riuscimmo tutti a raggiungere la superficie del lago.

Mi guardai attorno: Morgaine era scomparsa. Ma non ebbi tempo di chiedermi dove fosse, perché il ghiaccio del lago si stava spaccando da parte a parte.

«Correte!» urlò Geira.

Ma io a correre proprio non riuscivo. A malapena riuscivo a stare in piedi! Arrancavo, con le gambe molli come gelatina per il mal di montagna, scivolando sul ghiaccio che tremava e si spostava sotto i nostri passi.

Rob mi prese per mano per aiutarmi ad andare avanti. Praticamente fu costretto a trascinarmi di peso, e fu solo grazie a lui se arrivai a riva.

Avevamo appena messo piede al sicuro che alle nostre spalle il lago ghiacciato collassò all'interno della caverna, che ormai non esisteva più.

Rimanemmo per qualche istante immobili, a prendere fiato e a osservare la nuvola di polvere e ghiaccio che si alzava dal cratere aperto davanti a noi.

Sembrava impossibile, ma eravamo ancora vivi.

In quel momento però ci fu un altro rumore, simile al fragore di un tuono lontano.

«Cavolo, ragazzi! Guardate là, sta venendo giù tutto!» esclamò Rob.

Ci voltammo tutti in quella direzione. Dall'altro lato della valle, fortunatamente abbastanza lontano da noi, precipitavano rombando giganteschi cumuli di neve che sollevavano enormi nuvole candide. L'eco dell'esplosione aveva provocato una serie di rovinose slavine!

Fu allora, proprio mentre guardavo in direzione di quel terrificante spettacolo, che mi accorsi di una cosa...

Dall'altro lato del lago, ormai ridotto a una conca di polvere e blocchi di ghiaccio, oltre il polverone sollevato dal crollo della caverna, si scorgevano le sagome sfocate di cinque persone, che si stavano allontanando di corsa verso le montagne. Le osservai sbalordita: una di loro reggeva qualcosa che emanava un vago bagliore violaceo...

E in quell'istante mi fu tutto chiaro. Quegli uomini avevano causato l'esplosione per aprirsi un passaggio nella caverna, e avevano preso la pietra prima di noi.

Da lì a qualche istante sarei morta...

«Guardate là!» esclamai, puntando il dito verso le figure che si allontanavano.

«Quelle persone, le vedete? Credo che abbiano preso loro la pietra!»

«Potrebbero essere gli uomini di Mordred! Presto, dobbiamo seguirli!» gridò Halil, e fece per scattare all'inseguimento, ma Miller lo fermò afferrandolo per un braccio.

«Non ce la faremo mai a raggiungerli a piedi, dobbiamo andare a prendere l'elicottero e tagliargli la via di fuga.

«L'elicottero è a un'ora di distanza da qui!» protestò Hal. «Quando lo raggiungeremo loro si saranno già dileguati! Dobbiamo inseguirli...»

«Avete ragione entrambi» disse Geira. «Dividiamoci:

Hal, io e te siamo i più veloci, li raggiungeremo a piedi. Voi invece tornate all'elicottero più in fretta che potete!»

«Vengo con voi, così comunicherò con Miller via radio» disse Amelie, attivando il suo auricolare, e tutti insieme corsero via girando attorno a ciò che restava del lago,

«Facciamo come ha detto Geira. Rob, Tyra, Angy! Andiamo, forza!» esclamò Miller, precipitandosi lungo il sentiero in direzione del campo base.

Io però rimasi subito indietro a causa del mal di montagna che mi spezzava le gambe, e Rob rallentò, per non lasciarmi indietro da sola.

Intanto, Miller cercava di comunicare con Morgaine attraverso la propria radio trasmittente: «Madame Lefay, mi riceve? Parla Miller… siamo nei guai, Mordred ha preso la pietra prima di noi… Mi riceve?»

Non ottenne risposta e chiuse la chiamata con un colpetto stizzoso all'auricolare. Poi si girò verso di noi, spazientito. «Dobbiamo aumentare il passo, non riusciremo mai a raggiungerli con questo ritmo.»

«Angy non sta bene, non possiamo andare più veloci di così!» protestò Rob che camminava accanto a me.

Praticamente mi ero appesa al suo braccio per riuscire a stare in piedi. Miller ci guardò per un istante, annuì e avanzò a grandi passi fino a raggiungerci, poi si inginocchiò, dandomi la schiena: «Sali, forza, ti porto giù io.» Come mi fui aggrappata alla sua schiena, nonostante il mio peso sulle spalle, si alzò in piedi come se niente fosse.

«Muoviamoci, avanti!» disse, incamminandosi velocemente giù per il sentiero, seguito da Tyra e da Rob, improvvisamente di pessimo umore.

Ora, grazie a Miller e al sentiero in discesa, procedevamo a passo svelto: impiegammo molto meno di un'ora a tornare al campo base, dove sembrava che nessuno si fosse accorto di quello che era appena successo. Le nostre guide ci aspettavano tranquillamente sedute attorno a un fornello da campo e si scaldavano una tazza di tè, mentre i piloti dell'elicottero parlottavano tra loro appoggiati al portellone. Probabilmente, a quella distanza, l'esplosione del lago era sembrata loro solo il rombo di una slavina, un fenomeno che da quelle parti è un fatto del tutto normale...

Miller mi fece scendere, e si avvicinò a loro con una corsetta. «Madame Lefay è tornata?» chiese.

Quando loro scossero la testa, non perse tempo a indagare ulteriormente e prese in mano la situazione.

«Dobbiamo decollare immediatamente. Faremo un giro di ricognizione attorno alla valle.»

«È molto rischioso alzarsi in volo qui, le valli sono molto strette, e ora sta iniziando a nevicare...» provò a dire uno dei piloti, ma Miller tagliò corto: «Non abbiamo altra scelta. Sono sicuro che dopo questa impresa, Madame Lefay saprà ricompensarvi...»

I due piloti si guardarono tra loro, e scrollarono le spalle: «Come volete, salite a bordo e allacciate le cinture.»

Appena ci fummo sistemati sui sedili, le pale dell'elicottero iniziarono a vorticare e, con un rumore assordante, ci sollevammo lentamente da terra.

Dalla finestra del portellone, le pareti rocciose sembravano pericolosamente vicine a noi. In più occasioni mi ritrovai a chiudere gli occhi, convinta che ci saremmo sfracellati l'attimo successivo: un incubo!

Poi però mi resi conto che i piloti sapevano il fatto loro e iniziai a guardare in basso per cercare di scorgere, tra le rocce coperte di neve, qualche traccia di Geira, Hal e Amelie e degli uomini che stavano inseguendo.

Intanto, Miller tentava in tutti i modi di comunicare con Amelie via radio, ma le sue parole gli arrivavano spezzate da rumore di scariche. Probabilmente erano fuori dal raggio di trasmissione ma, per lo meno, sapevamo che stavano bene.

«C'è un altro elicottero davanti a noi, a ore 9» ci informò uno dei piloti.

Io immediatamente mi voltai a guardare in quella direzione e dopo un attimo lo vidi anche io. Era grigio, un po' più grosso del nostro: sembrava uno di quei mezzi militari che avevo visto solo nei film, ma non aveva nessuna bandiera dipinta sulla coda né alcun altro logo o segno distintivo.

«Saranno sicuramente loro, gli uomini di Mordred» sibilò Miller fra i denti.

«Come facciamo a fermarli?» chiese Rob.

«Non possiamo, questo è un elicottero civile, non ci sono armi a bordo» rispose Miller.

«Non abbiamo bisogno di armi» disse Tyra, «continuiamo a seguirli, ho un'idea.»

Quando ci fummo avvicinati abbastanza, Tyra aprì il portellone dell'elicottero, facendo entrare una sferzata di nevischio e vento gelido nell'abitacolo.

Aggrappandosi alla maniglia di sicurezza con una mano, si sporse fuori con l'altro braccio. Attorno alla sua mano i cristalli di neve furono scossi come da un'onda, che si propagò rapidamente nell'aria fino a raggiungere l'altro elicottero.

Un istante dopo, la neve cominciò a condensarsi attorno alla giuntura delle pale e solidificò in uno strato di ghiaccio. Le pale si bloccarono e l'elicottero nemico iniziò a roteare su se stesso e a perdere quota. «Fermati Tyra! Non voglio che muoiano! Sono Leggendari rapiti! Sono innocenti! Mordred controlla le loro menti, non hanno colpa!» gridai sconvolta. «Tyra, fallo di nuovo!» urlò Miller. «Blocca anche le pale sulla coda, facciamoli schiantare! Ma Tyra, per fortuna non lo ascoltò. Abbassò il braccio, gli occhi pieni di orrore e vergogna per quello che solo un attimo prima stava per fare. Dopo qualche istante, il ghiaccio attorno alle pale si frantumò, e queste ricominciarono a girare. Ondeggiando bruscamente, l'elicottero nemico iniziò a riprendere quota. Non feci in tempo a esultare per aver evitato un disastro che davanti ai nostri occhi anche il portellone dell'elicottero nemico si aprì. Ormai eravamo vicinissimi e vidi chiaramente che all'interno dell'abitacolo c'erano quattro ragazzi che indossavano pesanti giacche da montagna e avevano il volto coperto da fazzoletti di colori diversi.

Uno di loro, il più minuto, teneva tra le braccia un involto di stoffa, dal quale per un istante filtrò un lieve alone di luce violacea. Era la Pietra Nera!

Stavo per lanciare un grido e avvertire i miei amici, ma in quel momento uno degli altri ragazzi, con una bandana blu sul volto, si sporse fuori dal portellone.

«Ma... cosa cavolo sta facendo quel tipo?» mormorai allarmata.

Un istante dopo, con un lampo di luce, tra le sue mani apparve una grande balestra di legno scuro e metallo lucente.

Prima che potessi avvertire il pilota, il ragazzo sollevò l'arma, mirò alle pale del nostro elicottero, e rilasciò il quadrello.

Non mancò il colpo, purtroppo.

All'impatto, un boato terribile echeggiò per la valle, come se il colpo fosse stato amplificato da una magia oscura, e il nostro elicottero cominciò a roteare su sé stesso.

Mi aggrappai con tutte le mie forze alla maniglia sopra la mia testa, mentre le montagne iniziarono a turbinare attorno a noi.

Subito dopo, notai con terrore una scia di fumo nero che saliva verso il cielo. Stavamo perdendo quota...

In quel momento ci fu un secondo forte impatto, e allora smettemmo di roteare e iniziammo a precipitare.

In un attimo di lucidità, mi resi conto con sorprendente chiarezza che da lì a qualche istante sarei morta...

E fu allora che la nostra caduta rallentò all'improvviso, tanto che lo stomaco mi rimbalzò in gola per il contraccolpo.

Non stavamo più precipitando, ma scendevamo dolcemente verso il basso, come se l'elicottero pesasse meno di una piuma.

Appena smise di girarmi la testa, e il mio cuore si calmò abbastanza da permettermi di tirare un respiro profondo, mi sporsi a guardare fuori dal portellone.

Sotto di noi, al termine di una scia di impronte che attraversava una distesa immacolata di neve, c'era Morgaine, in piedi, con le braccia sollevate verso il cielo.

Le abbassava molto lentamente, e allo stesso modo, lentamente, il nostro elicottero calava, fino ad appoggiarsi con delicatezza nella neve davanti a lei.

Immediatamente Miller e i piloti scesero dall'elicottero. Qualche istante dopo mi accorsi che Rob e Tyra mi scuotevano per le spalle: ero rimasta immobilizzata per lo shock. Li sentivo parlare come da molto lontano, mentre mi slacciavano la cintura di sicurezza e mi aiutavano a scendere dall'elicottero, sorreggendomi per le braccia.

«Se ne sono andati, Madame Lefay, abbiamo fallito:

avevano con sé la pietra» riferì Miller a Morgaine, con una voce piena di rabbia compressa.

«È una vera seccatura...» rispose Morgaine. «Ma non tutto è perduto. Ve ne parlerò una volta che saremo al sicuro.» Il suo volto era impassibile, ma una goccia di sudore le scivolò dalla tempia giù fino al mento, e quando si toccò l'auricolare all'orecchio, le tremavano le mani.

Cercava di far finta di niente, ma io mi resi conto che, nonostante la sua esperienza millenaria, la magia che aveva usato per salvarci le era costata uno sforzo enorme.

«Dove siete? Ah sì, vi vedo» diceva intanto Morgaine all'auricolare, e vidi che si girava a guardare un punto imprecisato oltre lo spiazzo nevoso.

Seguendo il suo sguardo, vidi arrivare di corsa da dietro un masso Hal e Geira, seguiti qualche metro indietro da Amelie, a passo più tranquillo.

Appena Hal e Geira ci raggiunsero, strinsero me, Rob e Tyra in un unico grande abbraccio.

«Quando abbiamo visto cadere l'elicottero, pensavamo sareste morti!» esclamò Hal, con la voce spezzata dalla preoccupazione.

«Torniamo al campo base, farò arrivare un altro elicottero» disse Morgaine. «Non siamo riusciti a prendere la pietra, ma forse riusciremo a prendere Mordred. Sulla via per Kathmandu, vi spiegherò come.»

Sperai con tutto il cuore che avesse ragione, o tutto quello che avevamo appena passato sarebbe stato inutile...

Sembrava di vivere in una favola

Durante il volo di ritorno verso Kathmandu, crollai addormentata sulla spalla di Rob. Ero stremata dall'emozione e dalla stanchezza: non capita tutti i giorni di scampare al rischio di lasciarci la pelle. E noi, in poche ore, avevamo rischiato per ben due volte di morire, prima per il crollo della caverna, poi per il nostro "piccolo incidente" in elicottero.

Un attimo prima di sprofondare in un sonno profondo e senza sogni, giurai a me stessa che non mi sarei mai più fatta trascinare in un'avventura come questa.

Un giuramento che non avrei mai dovuto fare, perché ovviamente non sarei riuscita a mantenerlo...

Dopo un tempo che mi parve troppo breve, Rob mi

svegliò. Saltai su a molla e Rob si allontanò di colpo. Dovevo essermi addormentata sulla sua spalla.

«Angy, scusa se ti ho svegliato» mi sussurrò in un orecchio, ma è meglio che ascolti anche tu quello che dice Morgana...»

«Ommioddio, scusa! Russavo?» farfugliai imbarazzata. «Ti ho sbavato la spalla? Dimmi di no!»

«La risposta è: un po', a tutte e due le domande. Ma non preoccuparti, sarà il nostro segreto!» ridacchiò Rob.

Gli tirai una gomitata, poi mi misi ad ascoltare Morgana, ma per i primi istanti non riuscii a concentrarmi.

«... forse vi sarete chiesti perché non sono venuta con voi alla grotta» stava dicendo in quel momento. «Magari qualcuno di voi avrà pensato male di me, avrà messo indubbio la mia lealtà...» disse in tono duro.

Il suo sguardo cadde prima su di me, poi si soffermò a lungo su Tyra. «Ebbene, mi sono allontanata perché avevo appena ricevuto la notizia che i miei collaboratori avevano trovato, poco lontano dal campo base, un elicottero grigio... »

Fece una breve pausa ad effetto e sorseggiò un sorso

di ambrosia dal suo bicchiere di cristallo.

«Ovviamente, come supponevo, apparteneva agli uomini di Mordred. Mi sono avvicinata quanto bastava e ho lanciato un incantesimo di tracciamento su uno dei ragazzi di guardia. Hanno preso la Pietra Nera, questo è vero, ma la buona notizia è che ci condurranno dritto dritto nel covo di Mordred. Non potranno sfuggirci!»

Tyra alzò le sopracciglia. «Ho l'impressione che fosse esattamente quello che volevi fin dall'inizio. Non ti interessava davvero ritrovare la pietra, ma arrivare a Mordred, non è così?»

Morgana non le rispose, si limitò a sorriderle.

Un sorriso indecifrabile e senza gioia, da gelare il sangue. Poi si alzò, tornò al suo posto davanti a noi e per il resto del viaggio non disse altro. Si limitò a guardare fuori dal finestrino, ma non ammirava il paesaggio: la sua mente viaggiava lontano...

Io mi sporsi verso Tyra e le sussurrai: «Non pensi di aver esagerato un po'?»

Lei sollevò le spalle e mi fece cenno con le mani, come a dire: te lo spiego dopo, non è il caso che ne parliamo ora...

Per il resto del trasferimento a Kathmandu, restammo in silenzio e io mi appisolai di nuovo, ma questa volta feci attenzione a non crollare addosso a Rob.

Mi svegliai solo quando l'elicottero atterrò all'eliporto di Kathmandu. Mezza intontita, salii a bordo di una delle solite auto nere dai vetri oscurati.

Nel breve tragitto attraverso la città, caotica e colorata, notai che povertà e tradizione si mescolavano in modo stridente con il lusso e la modernità di stampo occidentale. Qualcosa dentro di me si ribellava all'ingiustizia che questi contrasti rivelavano...

Beh, questi contrasti furono ancora più evidenti quando arrivammo all'hotel.

Più che un albergo sembrava una reggia da sogno. Era un edificio antico, di mattoni rossi, le finestre decorate con ricche cornici di legno scolpito.

Si sviluppava attorno a un cortile rettangolare, pieno di angoli verdi, fontane e una spettacolare piscina che terminava in un alto bassorilievo di pietra.

Al check in scoprimmo che Morgaine aveva prenotato per lei l'appartamento reale e per noi due suite di lusso, una per me, Tyra e Geira e una per Hal e Rob. I suoi collaboratori avevano invece una stanza per ciascuno, un po' più piccole delle nostre suite, ma comunque sicuramente più grandi del mio appartamento di New York.

Rimasi sbalordita da tanto lusso, dopo la povertà che avevo intravisto in città e provai un vago senso di colpa.

Morgaine come sempre parve leggermi nel pensiero.

«Non farti tanti scrupoli, ragazzina. In fondo sto sostenendo l'economia locale, no? E ora godetevi il soggiorno: fate quello che volete, basta che non vi muoviate da qui e non mi disturbiate per nessuna ragione. Vi farò sapere quando sarà il momento di prepararsi a partire. Come potete immaginare, ho delle faccende importanti da sbrigare. Amelie e Miller si occuperanno di voi.»

Poi senza aggiungere altro si allontanò e non si fece vedere per i due giorni successivi, ma nessuno di noi sentì la sua mancanza.

Se si esclude il fatto che Miller e Amelie ci controllavano a vista e non potevamo lasciare l'albergo, devo confessare che quei due giorni a Kathmandu, furono molto simili a una vacanza da sogno.

Appena arrivai in stanza feci un rapido calcolo di fuso orario. A Kathamandu erano le cinque del pomeriggio, quindi a New York erano le sei e un quarto del mattino. Con un po' di fortuna avrei beccato i miei che facevano colazione prima di andare al lavoro.

Mi sedetti al computer per chiamarli via skype, ma per un attimo esitai: magari avevano fatto il turno di notte in ospedale, e li avrei svegliati.

Poi, d'impulso, decisi che li avrei chiamati comunque, anche a costo di tirarli giù dal letto.

Avevo rischiato la vita quel giorno e i pericoli non erano certo finiti: poteva essere la mia ultima occasione per salutarli e fare pace con loro.

Mi collegai a internet e subito sentii lo squillo della videochiamata in partenza. Quell'albergo aveva, ovviamente, una rete internet ultraveloce.

Li trovai che facevano colazione, lo sguardo assonnato, le occhiaie blu e le borse sotto gli occhi.

Mi sembrarono più vecchi di dieci anni, ma quando mi videro e mostrai loro dove mi trovavo, beh, si illuminarono di orgoglio come due ragazzini.

Tecnicamente, stavo ancora mentendo, ma a mia discolpa bisogna ammettere che non potevo dire loro tutta la verità. E la loro gioia valeva questa bugia...

Mi parlarono insieme, interrompendosi a vicenda,

in una raffica di domande e raccomandazioni. «Come stai? Sembri stanca! Dove sei? A Kathmandu? Che meraviglia! Come va lo stage? Certo è un'opportunità straordinaria! E che bell'albergo, vi trattano bene, eh? Datti da fare, mi raccomando! Quando torni, riparleremo di tutto quello che è successo, ci hai fatto morire di preoccupazione... Ma ora sfrutta questa occasione al massimo, non capita tutti i giorni!»

Io riuscii a malapena a rispondere, tanto fu travolgente il loro entusiasmo e li salutai con la promessa che avrei richiamato il prima possibile.

Tyra e Geira avevano assistito a tutta la scena.

«Che carini i tuoi!» commentò Tyra intenerita.

«Carini? Io direi, piuttosto, soffocanti! Pensa che sono passati dall'ignorarmi totalmente per intere settimane a starmi addosso come fossi una poppante... Non posso dargli torto, però, se guardo le cose dal loro punto di vista: devo ammettere che gliene ho combinate di tutti i colori...»

«Non lamentarti» disse Geira cupa. «È evidente che ci tengono davvero a te, al tuo futuro, e che vogliono vederti felice... Non sai la fortuna che hai.»

Mi avvicinai per metterle un braccio sulle spalle,

ma lei evitò bruscamente il contatto e si chiuse in bagno.

«Geira...» mormorai.

«Non farci caso, Angy» disse Tyra. «Sai bene anche tu che sta passando un periodo davvero difficile con i suoi.»

Poi bussò alla porta del bagno e propose: «Geira? Dai, vieni fuori da lì! Ho pensato a un programmino che ci farà dimenticare tutti i nostri guai! Per prima cosa, finché c'è il sole, piscina. Poi un salto alla spa, con massaggio rilassante per tutte: paga la Lefay! E dopo, un trattamento di bellezza viso: ne abbiamo un gran bisogno, fidatevi. Tutto questo stress danneggia la pelle. E non dimentichiamo una mani-pedicure con smalto semipermanente: non sappiamo quanto durerà la missione e io non posso assolutamente affrontare Mordred in queste condizioni: mi si è scheggiato lo smalto!

Geira aprì la porta. Aveva gli occhi rossi, ma stava sorridendo. «Mi avete convinta, ragazze. Però prima facciamo un salto in palestra. Ho bisogno di tirare qualche pugno a un sacco!»

«Ci sto dissi, io. Basta che alla fine andiamo a provare uno dei tre ristoranti dell'albergo. Voglio provare la cucina nepali!»

Mi ero appena messa la borsa a tracolla ed ero pronta a uscire dalla stanza per mettere in atto il nostro intenso programma di relax tra ragazze, quando la borsa si fece pesante, mi scivolò dalla spalla e cadde a terra. La pergamena si srotolò di colpo e mostrò un messaggio di Merlino.

"Stimatissima damigella Angelica Pendrake detta Angy,
l'Assemblea degli Eroi Leggendari,
saggiamente guidata dall'illustrissimo
Myrddin detto Merlino, ha seguito con apprensione
le vostre disavventure di questa mattina.
Siamo felici di constatare che siete sopravvissuti
e che vi apprestate a godere dei piaceri del soggiorno,
offerto generosamente da Madame Lefay.
L'Assemblea degli Eroi Leggendari,
desidera però ricordarvi che si tratta di Morgana,
la più pericolosa delle incantatrici,
e vi invita a non abbassare la guardia.
Non fidatevi di lei.
Cordialmente, l'Assemblea degli Eroi Leggendari,

saggiamente guidata dall'illustrissimo Myrddin detto Merlino"

Risposi, parlando direttamente alla pergamena (e sentendomi, come al solito assolutamente ridicola): «Ehm, salve a tutti e grazie della comunicazione. Capiamo le vostre preoccupazioni, ma potete stare tranquilli. Non abbassiamo al guardia, anche se oggi Morgana ci ha letteralmente salvato la vita: direi che abbiamo qualche ragione per cominciare a fidarci, no? Inoltre non abbiamo altra scelta che seguirla. La Pietra Nera è in mano ai seguaci di Mordred e Morgana ha lanciato un incantesimo di tracciamento su uno di loro. Credo che in questo momento stia cercando di individuare i suoi spostamenti per recuperare la pietra. È intenzionata a recuperarla a tutti i costi, fin nel covo di Mordred, se necessario!»

Poi, senza dare tempo a Merlino di rispondere riarrotolai la pergamena.

«Fine delle trasmissioni!» dissi infilando la pergamena nella cassaforte della stanza. «Ecco fatto. Accademia degli Eroi Leggendari neutralizzata. Che ne dite? Riprendiamo i nostri programmi?»

Ridendo a crepapelle, anche Tyra e Geira chiusero le loro pergamene nella cassaforte.

Poi, sottobraccio, ci dirigemmo tutte e tre verso la palestra, prima tappa del nostro intenso programma di relax.

Ce l'eravamo meritato.

Passando nella hall dell'albergo, mi fermai per un istante ad avvertire i ragazzi dei nostri programmi e fu allora che intravidi Morgaine mentre confabulava con Amelie. Per un istante ebbi la sensazione che stessero parlando di noi e mi parve di vedere Morgaine indicare Geira e Tyra, che camminavano sottobraccio parlando fitto fitto tra loro. Chissà che cosa stava tramando? Poi scrollai le spalle.

«*Angy, è ufficiale: stai diventando paranoica*» mi dissi.

E me lo ripetei anche qualche ora dopo, quando la incontrai in corridoio, che parlava con Miller.

Ma quando gli passai vicino, Miller mi strizzò l'occhio e chiese premuroso: «Come stai Angy? Ti senti meglio?»

E i miei sospetti svanirono nel nulla...

Decisi di ignorare tutti questi segnali: ero stanca

di problemi e avevo solo voglia di divertirmi con i miei amici.

Con il senno di poi non avrei dovuto, certo.

Ma è facile dirlo, dopo. In quel momento invece, e per tutti i due giorni successivi, pensai solo a godermi il lusso esagerato di quell'albergo meraviglioso.

Sembrava di vivere in una favola e io in quel momento non avevo alcun desiderio di tornare a vivere nella realtà.

Un nuovo obbiettivo: Inghilterra!

La favola purtroppo durò troppo poco. All'alba del terzo giorno eravamo già in volo verso il nostro nuovo obbiettivo: l'Inghilterra.

Nei giorni precedenti Morgaine aveva passato quasi tutto il tempo chiusa nella suite reale a seguire i movimenti dei seguaci di Mordred sulla sua mappa magica, finché non era stato chiaro che si erano diretti in Europa, e più precisamente nel sud dell'Inghilterra.

Eravamo di nuovo sulle tracce della Pietra Nera.

Questo, anziché tranquillizzarmi, mi fece cadere in uno stato a metà tra l'ansia e la speranza. Per essere più precisa, passavo continuamente dall'una all'altra, con il risultato che non riuscivo proprio a stare ferma sul sedile.

Il volo da Kathmandu a Londra sarebbe durato circa dieci ore: dieci lunghe ore di immobilità forzata e sofferenza.

Per di più, prima di partire, i miei genitori mi avevano telefonato per sapere come stavo, e io avevo dovuto fingere ancora che andasse tutto bene e di essere contentissima dell'opportunità che stavo vivendo con la prestigiosa Lefay Enterprises. Odiavo mentire!

Per fortuna i miei amici avevano comprato un mazzo di carte al negozio di souvenir del Grand Hotel, e dopo aver giocato, nell'ordine, a poker, scala quaranta, briscola e rubamazzetto, finalmente riuscii a darmi una calmata.

Stavo giusto iniziando a divertirmi (sono imbattibile a rubamazzetto), quando sentii un tintinnio di vetri infranti provenire dalla cabina di Morgana.

Dopo qualche istante, in cui i miei amici e io ci scambiammo sguardi allarmati, Morgaine uscì dalla cabina con un'espressione tempestosa.

Si passò una mano tra i lunghissimi capelli neri, che sembravano ancora più selvaggi del solito.

«Il segnale è scomparso dalla mia mappa. Non lo vedo più» disse, lasciandosi cadere su una delle poltroncine vuote, con un'aria stranamente stanca.

Senza che avesse bisogno di chiedere, Miller si affrettò

ad alzarsi e a riempirle un bicchiere di ambrosia. Morgana lo accettò senza neanche guardare, e lo sorseggiò distrattamente, socchiudendo gli occhi.

Io e i miei amici ci guardammo, come a dire: "e adesso?" e Rob mi fece un cenno con il mento come per dire: "dai, chiediglielo tu!".

Mi girai verso Morgana, che aveva lo sguardo perso fuori dal finestrino dell'aereo.

«Quindi... che facciamo?» le chiesi.

Lei mi rispose senza guardarmi: «Sappiamo che il ragazzo è in Inghilterra, e che ci è rimasto per quasi un giorno. Non ci resta che andare lì anche noi, e riprendere a seguire le sue tracce da dove si sono interrotte.

Rob si agitò sul sedile: «E come facciamo a ritrovare le loro tracce? Potrebbero essere ovunque, potrebbero essere già ripartiti...»

«C'è una sede della Lefay Enterprises a Londra. Lì i miei collaboratori sono da tempo sulle tracce degli uomini di Mordred. Sanno esattamente cosa cercare: che tipo di veicoli usano, come si vestono, quali sono i loro pattern di movimento... e abbiamo l'accesso alla maggior parte delle telecamere di sicurezza del paese. Se ci sono stati dei movimenti sospetti da parte di qualcuno che corrisponde alla descrizione, lo sapremo.

Tyra la guardò con sospetto: «Quindi sei sulle tracce di Mordred da molto tempo...»

«Non da molto. Fino a pochi mesi fa, non sapevo neanche che fosse ancora vivo... ma poi i suoi uomini hanno iniziato a comparire, hanno cominciato a girare voci sul suo ritorno, e io ho iniziato a seguire le sue tracce.»

«Credevo che ti interessasse solo ritrovare l'accesso al mondo magico e ritrovare il tuo potere... e Artù,» dissi io.

Morgana sospirò. «Quelle sono state le ragioni che mi hanno motivata per gli ultimi mille anni, ciò che mi ha spinto a fondare il mio impero, ma da quando ho scoperto che Mordred è ancora vivo se n'è aggiunta un'altra: voglio trovarlo... e fargliela pagare. Per avermi ingannata e per quello che ha fatto a mio fratello Arthur.

«Se detesti Mordred così tanto, perché ti sei alleata con lui contro Artù?»

«Mio fratello era molto diverso quando non era re... una volta incoronato, è diventato più rigido, autoritario. Nonostante fosse stato cresciuto da Merlino, ha deciso di bandire maghi e incantatori dalla Britannia, perché la gente comune ne aveva paura. In realtà non tutti i maghi erano malvagi: molti di loro mettevano le loro capacità al servizio della gente, curavano chi aveva bisogno con erbe e pozioni e offrivano saggi consigli. Ma Artù, per continuare a regnare su un territorio pieno di divisioni e conflitti, aveva bisogno di avere l'approvazione e il sostegno incondizionato del popolo. Era una delle sue debolezze. Quando provai a spiegarglielo, però, non volle capire, e mi cacciò dalla sua corte e dal regno.»

Ne rimasi sorpresa, in tutte le leggende Artù era sempre stato buono e saggio... possibile che fosse in realtà così debole da cercare a ogni costo l'approvazione degli altri? Anche a costo di allontanare le persone che gli volevano bene?

Morgana continuò. «Mi ritrovai sola nella mia battaglia. Pur di non doversi scontrare con il suo protetto, Merlino si era ritirato docilmente ad Avalon. Provai a rivolgermi a Viviana, la mia maestra, ma lei mi intimò di non curarmi delle faccende dei comuni mortali e se ne rimase nascosta nelle foreste con le sue accolite...»

Si concesse un lungo sorso dal suo bicchiere, che sorbì a occhi chiusi, la testa leggermente inclinata all'indietro. Poi riprese: «Mi sono ritrovata abbandonata da tutti quelli di cui mi fidavo e non mi restò altra scelta che allearmi con il nemico del mio nemico: Mordred, che ambiva al trono di Camelot da tutta la vita! Sapevo infatti che l'unico modo per proteggere i maghi era spodestare Artù e speravo che, una volta privo della corona, sarebbe tornato tutto com'era prima! E se Mordred non mi avesse tradita il mio piano avrebbe funzionato. Ecco perché farò tutto il possibile per fargliela pagare.»

Detto questo, chiaramente scossa anche se cercava di mantenere un'aria di calma e compostezza, si ritirò nella sua cabina. Cadde il silenzio per un attimo.

«Non sapevo niente di tutto questo...» disse Geira, stupita.

«Non c'è da sorprendersi che Merlino e Viviana abbiano voluto tenere nascosta la verità» disse Amelie scrollando le spalle.

«Sempre che quello che ci ha detto Morgaine sia vero! Per quanto mi riguarda, potrebbe anche essersi inventata tutto...» rispose Tyra, incrociando le braccia.

«Magari invece è stata sincera... ma ciò non vuol dire che quello che ci hanno raccontato Merlino e Viviana sia falso. Quello potrebbe essere semplicemente il *suo* punto di vista...» commentò Hal.

«Non ci capisco niente...» disse Rob, passandosi una mano tra i capelli.

Miller intervenne, in tono deciso: «È evidente che i vostri mentori hanno cercato di farvi passare un'immagine distorta di Madame Lefay. È vero che si è alleata con Mordred contro re Artù, ma per una buona ragione. E per rimediare ai suoi errori, si è costruita da sola una vastissima fortuna. Le è costato mille anni di fatiche, per la maggior parte dei quali ha dovuto lottare duramente, e fingersi uomo perché la società non permetteva alle donne di gestire gli affari...

«Non è un'impresa da poco...» osservò Geira con una punta di ammirazione nella voce.

Tyra invece sembrava molto scettica. «Sì, certo... ha lottato... ha fatto grandi cose, ha avuto successo, ma a che scopo? Per se stessa. Ci sono un sacco di problemi nel mondo che avrebbe potuto tentare di risolvere o alleviare. Invece, per mille anni, è rimasta concentrata solo sulla sua personale vendetta.

Amelie si risentì. «Madame Lefay ha aiutato molte persone, la stragrande maggioranza dei suoi collaboratori hanno alle spalle situazioni di povertà assoluta o di sofferenza, me compresa. Mi ha salvata, e si è guadagnata la mia lealtà. Dovreste provare a considerare altri punti di vista oltre al vostro».

Dopo quelle affermazioni, rimanemmo tutti in silenzio.

Io ero confusa.

Le parole di Morgaine e dei suoi alleati erano state convincenti, al punto di farmi provare pietà per lei. Ma in un angolo della mente, avevo ancora un dubbio punzecchiante, qualcosa che mi diceva di non fidarmi, come un brutto presentimento...

Ovviamente ora continuo a ripetermi che, se lo avessi ascoltato, le cose sarebbero andate molto diversamente.

Ma non potevo certo sapere cosa sarebbe successo, di lì a poco...

Atterrammo a Heathrow sotto una pioggerellina fitta e crudele. Appena misi piede fuori dall'aereo, l'aria umida e il cielo grigio fecero scattare dentro di me una strana nostalgia. Non ero mai stata in Inghilterra in vita mia, ma l'aria portava con sé un odore quasi familiare.

All'aeroporto ci venne incontro un ragazzo alto, scuro di pelle. Dopo qualche istante lo riconobbi: era Raul, il motociclista che assieme a Miller mi aveva salvata quando ero stata rapita dagli uomini di Mordred.

«È un piacere rivederla, Madame Lefay» disse con un cenno del capo.

«Raul, sono pronte le macchine?» chiese Morgaine, senza ricambiare il saluto.

«Sì signora, da questa parte» rispose, facendoci strada verso un parcheggio privato.

Lì, accanto a due lucide automobili nere dai vetri scuri, ci aspettavano due uomini grandi e grossi, vestiti con un impeccabile completo scuro e un cappello a visiera: più che autisti sembravano guardie del corpo.

«Andiamo diretti ai miei uffici di Londra» disse loro Morgaine, prima di entrare in una delle auto assieme ai suoi collaboratori.

I miei amici e io salimmo sull'altra.

Durante il viaggio tenni il naso incollato al finestrino, a guardare i prati verdissimi e le deliziose casette di mattoni che scorrevano davanti ai miei occhi. Non era un paesaggio particolarmente emozionante, ma mi commuoveva nel profondo, come se mi ritrovassi a casa, dopo tanto tempo. Forse era la mia eredità che parlava...

Un'ora dopo, il delizioso paesaggio di campagna si era trasformato gradualmente in una città caotica e piena di vita. Eravamo arrivati a Londra.

Dopo altri venti minuti di traffico sotto una pioggia sempre più intensa, le nostre auto parcheggiarono davanti a un grattacielo altissimo, completamente ricoperto di finestre lucide, come un mosaico di specchi.

All'interno, una folla di impiegati indaffarati andava e veniva, in un silenzio irreale. Erano tutti vestiti all'ultima moda, in perfetto stile 'business casual', come mi fece puntualmente notare Tyra.

Noi, con i nostri vestiti spiegazzati e l'aria stravolta per il viaggio, eravamo decisamente fuori posto. Miller e Amelie, invece, si erano dati una sistemata nei bagni dell'aereo ed erano come sempre perfetti fino all'ultimo capello.

Dopo un'imbarazzante salita in ascensore, durante la quale non volò una mosca e tutti ci fissavano con un misto di curiosità e disprezzo, arrivammo finalmente al penultimo piano e le porte si aprirono davanti a un'ampia e lussuosa sala riunioni.

Attorno a un tavolo di vetro a forma di goccia, erano sedute quattro persone, due donne e due uomini, vestiti anche loro con impeccabili completi neri. Erano intenti a consultare i loro portatili ultimo modello e ad armeggiare con misteriosi apparecchi dall'aria ipertecnologica.

Senza una parola, Morgaine si sedette a capotavola.

Ci scambiammo uno sguardo confuso.

«Ehm, che si fa?» sussurrai, dando una gomitata a Rob.

«Beh... sediamoci, no? Ci sono dei posti vuoti.» mormorò Tyra.

«Sicura che siano per noi?» chiesi incerta. «Magari devono arrivare altri ospiti...»

«Che cosa aspettate? Che vi arrivi un invito ufficiale in cartoncino stampato a mano? Sedetevi, avanti!» disse Morgaine gelida.

Con un imbarazzante stridio di seggiole sul pavimento di marmo, ci accomodammo ai nostri posti e una delle donne, con una crocchia stretta di capelli neri e un bindi rosso scuro sulla fronte, iniziò a parlare.

«Madame Lefay, signori, abbiamo dei dati promettenti. Basandoci sulle fotografie che gli agenti sul campo hanno scattato a furgoncini blindati ed elicotteri, siamo riusciti a risalire ai fabbricanti e abbiamo scoperto che negli ultimi due anni ne sono stati acquistati in buon numero da tre diverse società offshore.

«E quindi? Potrebbe essere stato chiunque...» osservò Miller.

«Esattamente, mister Brown» disse la signora, e io trasalii. Allora Miller non era un cognome, ma un nome! Nonostante la situazione, la cosa mi sembrò divertente e mi scappò un sorriso.

«Potrebbe essere chiunque...» proseguì la signora con la crocchia «ma, dopo una breve indagine, abbiamo scoperto che tutte e tre le società erano false, vuote. Specchietti per le allodole.»

«Ottimo lavoro» commentò Morgaine.

Quella lode sembrò animare uno degli uomini, un giovane dagli occhi a mandorla che portava un costoso paio di occhiali di tartaruga in stile vintage.

«Abbiamo continuato a indagare e siamo riusciti a tracciare alcuni pagamenti di ognuna di quelle società» disse in tono concitato. «E dopo avere decriptato i dati, abbiamo scoperto che l'oggetto della nostra ricerca, chiunque egli sia, ha commesso una grave leggerezza, che però va a nostro vantaggio... tutti quei pagamenti, che si è dato tanta pena di nascondere, sono stati fatti dallo stesso computer.»

Gli altri tre si scambiarono occhiate scandalizzate, condite da una buona dose di alzate di sopracciglio.

A me non sembrava così grave, ma era evidente che secondo loro era stato un imperdonabile errore da dilettanti.

La seconda donna concluse: «Abbiamo tracciato l'indirizzo IP del computer. E abbiamo scoperto che si trova in una villa privata, a pochi chilometri da Cardiff.»

Morgana annuì compiaciuta. «Benissimo, sono molto

soddisfatta del vostro lavoro. Farò sapere ai vostri supervisori che vi siete meritati un bonus.»

Detto questo, chiuse il proprio blocco per gli appunti e vi appoggiò sopra la penna. Quel semplice gesto fu sufficiente per congedare i quattro impiegati, che raccolsero le proprie cose e uscirono dalla stanza in silenzio.

Come la porta si richiuse alle loro spalle, non riuscii più a trattenermi: «Pensi che nella villa ci abiti Mordred?»

Morgana scosse la testa: «Conoscendolo, dubito che il suo nascondiglio sia così esposto. Mordred non è certo uno sprovveduto. D'altra parte, però, non mi stupirebbe che abbia scelto di rimanere legato alla sua terra d'origine... Per ora, l'unica cosa che sappiamo con certezza è che da quel luogo partono molte operazioni economiche, come l'acquisto e l'affitto dei mezzi di trasporto che usa in giro per il mondo.»

«Potrebbe avere fatto come lei, Morgaine, ed essere rimasto mille anni in incognito nel mondo reale, costruendosi una fortuna…» suggerì Hal, appoggiandosi all'indietro sullo schienale della sedia, le mani incrociate dietro la nuca.

Morgana fece un gesto noncurante con la mano. «Me ne sarei accorta, se fosse stato sotto il mio naso tutto questo tempo…

«Magari non è così sveglia come crede...» bisbigliò Tyra accanto a me. Morgana la sentì e le lanciò un'occhiata gelida, ma con mio grande stupore preferì ignorare le sue parole un po' insolenti.

«La riunione è terminata» disse alzandosi in piedi. «Questa notte dormiremo a Londra per riprenderci dal lungo volo. Domattina presto partiremo per visitare questa famosa villa...»

Parole mielate

Passammo la notte in un anonimo anche se lussuoso albergo del centro, frequentato da uomini d'affari che badavano più alla praticità che all'atmosfera.

Nonostante letto e stanza fossero assolutamente perfetti e confortevoli, per colpa del jet lag nessuna di noi riuscì ad addormentarsi.

Così, dopo avere accostato due dei letti, io restai sveglia a guardare la televisione con le mie amiche fino a un'ora indecente, troppo stanche per parlare, sgranocchiando senza pudore tutto quello che volevamo dal frigo bar. Tanto la Lefay Enterprise non badava a spese...

Quando mi svegliai, la televisione ancora accesa trasmetteva i programmi del mattino ed eravamo circondate da carte di snack, involucri di patatine e merendine assortite.

Io avevo il braccio sinistro spalancato e addormentato sulla faccia di qualcuno che, dopo qualche istante, scoprii essere Tyra. Lei era sdraiata di traverso su entrambi i letti, con le gambe appoggiate sulla schiena di Geira, che dormiva a pancia in giù, russando dolcemente.

Senza pietà cercai di svegliarle con una scrollata neanche troppo gentile, perché, nonostante il banchetto notturno, avevo una gran fame e volevo scendere a fare colazione prima che Morgaine ci facesse chiamare per la partenza. Ma mentre Tyra si rialzò subito con un gigantesco sbadiglio, Geira non si mosse.

«Lasciatemi dormire... altri dieci minuti...» implorò. Al mio secondo tentativo, con voce impastata di sonno, mugugnò di andare avanti noi, perché voleva lavarsi i capelli prima di ripartire e ci avrebbe messo un po' ad asciugarli.

Io e Tyra ci scambiamo un'occhiata perplessa e scoppiammo a ridere: Geira non era certo il tipo da tenerci così tanto al suo aspetto esteriore. Era chiaramente una scusa per dormire ancora un po'!

«Dai, forza, alzati!» insistette Tyra. «Morgaine non lascerà che ti fermi a fare colazione per strada e qualcosa mi dice che sarà una giornataccia!»

Ma non ci fu niente da fare.

Finimmo per lasciarla lì e scendemmo senza di lei a fare colazione al ricco buffet dell'albergo, dove incontrammo i nostri amici, intenti a servirsi. Rob, come al solito, si era riempito il piatto ben più del necessario.

«Non so proprio come fai a restare così magro... considerando tutto quello che mangi!» ridacchiai sbalordita.

Ci sedemmo tutti allo stesso tavolino, un po' ridicoli nei nostri pigiami spiegazzati in mezzo a tutti quei ricconi in giacca e cravatta, che ci guardavano con aria di disapprovazione. Ormai però, a forza di frequentare Morgaine e il suo mondo, ci eravamo abituati a situazioni di questo genere e tutto sommato non ce ne importava più nulla.

Non avevamo ancora finito di mangiare, che Miller si avvicinò a noi con una tazza di caffè nero in mano e due occhiaie 'effetto panda' sul viso che, notai, restava comunque piuttosto affascinante...

«Come stai Angy? Tutto ok? Hai dormito?» Mi chiese premuroso. Mi parve che Rob si irrigidisse un po' a quelle parole, ma lì per lì, non ci feci tanto caso.

«Ordini di Madame Lefay» proseguì Miller, bevendo un sorso di caffè. «Appuntamento nella hall fra un quarto d'ora. Andate a prepararvi, partiremo immediatamente.»

Così tornammo, a malincuore, verso le nostre stanze.

Appena girato l'angolo del corridoio, vidi Geira, ancora con l'asciugamano in testa, che stava chiacchierando con Amelie davanti alla porta della nostra stanza: parlavano fitto fitto, a bassa voce, vicine come se si stessero confidando qualcosa di molto personale, ma non riuscii a sentire quello che dicevano.

Immediatamente Tyra, che era di fianco a me, si innervosì. Percepii chiaramente la sua disapprovazione, come se emanasse da lei a ondate.

Come ci vide, Amelie ci salutò con un cenno del capo, e dopo due brevi parole, si congedò da Geira stringendole con complicità il braccio, a mo' di saluto.

Tyra aspettò che Amelie avesse girato l'angolo del corridoio prima di sbottare: «Che avevi da dirti con quella smorfiosa?»

Geira sembrò genuinamente sorpresa dell'astio nella sua voce: «Niente, aveva bussato alla porta per dirmi che stiamo per partire, e abbiamo scambiato due chiacchiere.»

«Ti sembra una buona idea fraternizzare con il nemico? Chissà che cosa stanno tramando lei e Morgana...»

Geira si risentì. «Non stavo "fraternizzando con il nemico". Ti ricordo che il nostro nemico è Mordred. E poi, non eri stata tu a dirmi che avevo bisogno di farmi dei nuovi amici?

«Non ritorcermi contro le mie parole, te l'avevo detto perché non conoscevi nessuno a Los Angeles a parte me e mi dispiaceva vederti sempre sola. Di certo non volevo incoraggiarti a fare comunella con la tirapiedi di Morgana.»

Ormai era evidente che Geira stava per arrabbiarsi.

«Ti faccio notare che Amelie è molto intelligente e ha avuto una vita difficilissima prima di essere salvata da Morgaine... e poi, scusa un attimo, posso parlare con chi voglio. Non ho certo bisogno del tuo permesso.»

Tyra alzò le braccia al cielo, esasperata: «Mi sto solo preoccupando per te! Non mi fido di Morgaine né dei suoi collaboratori e non voglio che ti facciano del male... Ma sai che ti dico? Hai ragione, puoi parlare con chi ti pare. Non ho voglia di litigare... andiamo, Angy, dobbiamo prepararci per partire» disse, tirandomi nella stanza per un braccio.

Io mi lasciai condurre a mo' di pupazzo, ma mi girai per lanciare un'occhiata perplessa a Geira a cui lei rispose scuotendo la testa come per dire: "che ci vuoi fare..."

Finimmo di prepararci in un'atmosfera molto pesante, tanto che fui contentissima di uscire finalmente dalla stanza e riunirmi ad Hal e Rob, che stavano scherzando tra loro, sprofondati nelle poltrone di pelle della hall.

Quando ci fummo tutti radunati, uscimmo dall'hotel, ma questa volta, invece delle solite macchine nere ultralusso, davanti all'ingresso ci aspettava un minivan blu con la vernice sbeccata e qualche bollo sulla carrozzeria.

Morgaine era intenta a parlare al telefono accanto alla portiera anteriore e come ci vide, ci fece cenno con il capo di entrare.

Aperto il portellone, vidi che l'interno era completamente diverso dall'esterno: due file di poltroncine di pelle, girate in modo da guardarsi, come in un salottino, condizionatore e minifrigo. Anche quando girava in incognito Morgaine non rinunciava al lusso...

Amelie si mise alla guida e Miller si sedette di fianco a lei con un portatile aperto sulle ginocchia.

Partimmo senza indugiare e, dopo venti minuti di traffico, uscimmo dalla città.

Io guardavo fuori dal finestrino le dolci colline coperte da un patchwork di campi coltivati, intervallati da boschetti verdissimi. Ero così persa ad ammirare il paesaggio che quasi non mi accorsi che Morgana mi stava parlando.

«Lo senti, vero? Di essere tornata a casa, intendo. L'Inghilterra è cambiata moltissimo ma per certi aspetti è rimasta uguale: i prati verdi, il cielo grigio, sono le stesse che vedeva Arthur.»

«Anche io mi sento stranamente a casa, anche se non sono mai stato qui» disse Rob, «forse è perché anche Robin Hood era inglese?»

Tyra schioccò la lingua e alzò gli occhi al cielo, scettica: «Secondo me ti stai facendo suggestionare. La nostra eredità è importante, sì, ma non può avere così tanta influenza sulla nostra vita di oggi.»

«Sei proprio sicura di non sentire nessun legame con la tua eredità, Tyra Hope?

«Proprio nessuna, spiacente!» esclamò Tyra, incrociando le braccia.

«Molto bene. Allora ti racconterò la triste storia della tua antenata, Europa, di cui Zeus si era invaghito, e dei suoi discendenti... Lei, come certo saprai, lo respinse, e per questo motivo lui la tenne prigioniera. Per conquistarla, la riempì di regali, tra cui Talos e la lancia, sperando che lei prima o poi lo ricambiasse, ma questo non avvenne mai. Un giorno Zeus si stancò di lei e finalmente la lasciò libera... Quello che nessuno sa è che oltre ai figli Minosse e Radamanto, Europa ebbe anche delle figlie. Queste si trasferirono in Egitto, e in seguito una di loro si innamorò di un principe nubiano, bellissimo e valoroso, e lo seguì nelle sue terre. Per generazioni, i discendenti di Europa hanno vissuto in pace e prosperità in quelle regioni, ma con il declino del regno di Nubia, il loro sangue nobile non contava più nulla. Ormai vivevano da molto tempo come semplici cacciatori nel nord del Sudan, quando uno di loro, appena ragazzo, fu rapito, strappato alla sua famiglia, e trasportato in America per essere venduto. E tu sai meglio di me le sofferenze che la tua stirpe ha dovuto subire da allora...»

Tyra era impassibile ma io, che ormai la conoscevo bene, capii che era furibonda. «Esatto, le so meglio di te, quindi non è il caso che tu provi a spiegarmele.»

«Quindi in realtà il legame con la tua stirpe l'hai sempre sentito, solo che non sapevi che partisse tutto da Europa...» concluse Morgana.

Tyra scosse la testa in segno di disapprovazione.

«In realtà, neanche io penso di subire l'influenza della mia eredità...» commentò Geira sottovoce.

Senza girare la testa, Morgana piantò i suoi occhi verdi su di lei.

«Secondo me invece la senti, eccome, ma stai facendo di tutto per reprimerla. Sei sempre così calma Geira, anche di fronte alle grandi difficoltà che ti sei trovata ad affrontare nella vita, e che stai affrontando anche adesso... cerchi di tenere sempre la tua rabbia sotto controllo, a ogni costo. E se poi, nonostante tutto, la situazione ti sfugge di mano e ti arrabbi, poi provi vergogna, non ho forse ragione, Geira Dahlstromm?»

«Sì, è così...» ammise lei, quasi con un sussurro.

Ora Morgana aveva girato anche la testa verso di lei, e continuava a fissarla negli occhi con un'intensità che mi fece sudare freddo per la tensione, benché non fossi io il bersaglio di quello sguardo così intenso.

«Ma non dovresti provare vergogna, la tua eredità ti rende forte» continuò Morgana. «Il fuoco che ti scorre nelle vene è una risorsa... tu rifuggi sempre l'idea della guerra e della violenza, ma è parte di te. Non lo senti, quando cala il silenzio, l'eco lontano della battaglia, dei canti dei guerrieri, delle spade che urtano sugli scudi, delle lance che picchiano ritmicamente sul terreno prima di uno scontro?»

«Forse sì, lo sento...» mormorò Geira.

«Lagertha era una grande guerriera, una grande regina, che ha costruito il suo regno sul filo di una lama: tutto quello è parte di te e ti dà forza.»

«La forza di Geira è nella sua gentilezza, nel suo desiderio di proteggere le persone a cui tiene» la contraddì decisa Tyra «non nella sete di sangue dei suoi antenati.»

Morgana non la ascoltò, ma si girò verso di me, inchiodandomi con gli occhi.

«Tu sei molto simile ad Arthur, e sento che ultimamente stai iniziando a portare sulle spalle lo stesso peso che portava lui da quando entrò in possesso di Excalibur. Tutti si rivolgeranno a te in cerca di guida, e avrai la responsabilità di fare sempre le scelte giuste. Excalibur ha il potere di radunare e convogliare il consenso degli altri, ma in che direzione? Starà a te capirlo, e non sarà facile. Saprai fare le scelte giuste? O cederai anche tu alla tentazione di compiacere gli altri e di cercare la loro approvazione? Se ti affidi a me, posso aiutarti a evitare che il suo potere ti trasformi come ha trasformato lui. Lascia che mi occupi di te, Angy Pendrake.

Imbambolata dal suo sguardo magnetico, per un attimo stavo quasi per crederle... ma con un brivido di inquietudine, mi riscossi e dissi: «Non ho certo bisogno di te per rimanere me stessa.»

Morgana schioccò la lingua, e per un attimo mi parve sorridere, quasi con benevolenza. Ma poi si girò a guardare fuori dal finestrino, e non aggiunse altro.

Nell'abitacolo tornò il silenzio.

La conversazione che avevamo appena avuto mi aveva lasciato addosso una brutta sensazione, quasi viscida, come se una schiera di lumache mi avessero camminato addosso. Morgana aveva usato parole mielate, che apparentemente avevano a cuore il nostro vantaggio... ma non ero per niente convinta che fosse quello il suo vero interesse. Anzi, ero sicura che stesse in qualche modo cercando di manipolarci.

Per ottenere cosa, non ne avevo idea.

Dopotutto eravamo già alleati.

Cosa poteva volere di più da noi?

Mi ripromisi di parlarne il prima possibile con i miei amici, ma prima che potessi formulare un piano più dettagliato, il furgoncino si fermò al ciglio della strada, e fuori dal finestrino vidi una villa principesca, circondata da un alto muro di cinta.

Amelie tirò il freno a mano. «Siamo arrivati.»

«Cavolo, certo che Mordred si tratta bene...» commentò Rob sbalordito da tutto quel lusso.

«Lui non c'è» disse Morgana. «Se fosse qui, riuscirei a percepirlo.»

«In ogni caso, meglio stare in guardia» aggiunse Hal. «Non sappiamo cosa ci aspetta all'interno.»

Miller prese a digitare furiosamente sul computer. «I nostri informatori mi comunicano che la villa ha un sistema d'allarme basato su un feed ricevuto da una serie di telecamere poste sul perimetro, è programmato per suonare appena qualcuno si avvicina troppo al muro di cinta...»

«Allora come facciamo a entrare?» chiesi io.

«Questo sistema di sicurezza è piuttosto vulnerabile agli attacchi informatici, perché le telecamere comunicano con la villa via wireless» mi rispose Amelie, rubando il portatile a Miller.

«Se mi date qualche minuto, posso entrare nella rete delle telecamere e mandare in loop le riprese per un breve periodo... in questo modo potremmo scavalcare il muro senza problemi.»

«E se dentro la villa ci fossero degli scagnozzi di Mordred?»

«In quel caso, li affronteremo» disse Geira.

«Ma... se questa è veramente la base di Mordred, potrebbe tornare in qualsiasi momento...» disse Rob, pallidissimo, agitandosi sulla sedia.

«Stai tranquillo. Rimarrò fuori, e se dovesse arrivare lo affronterò: sono l'unica tra di noi che è in grado di sconfiggerlo» concluse Morgana.

Il quartier generale di Mordred

Amelie disattivò le telecamere in pochi minuti, con la tipica efficienza dei collaboratori di Morgana.

E noi, scavalcato il muro, ci trovammo in un magnifico giardino perfettamente curato.

Non c'era alcun segno di movimento: né guardie, né cani, nemmeno il canto di un uccello, né il ronzare degli insetti. Niente.

Per un attimo ebbi l'impressione che lì tutto fosse immobile e senza vita.

Ignorammo l'ingresso principale, un monumentale portone antico in stile medievale, dagli stipiti di marmo lavorati a nodi e intrecci, che ovviamente era chiuso.

Ci dirigemmo invece subito sul retro, dove poteva essere più semplice forzare una porta senza dare nell'occhio.

Trovammo un vecchio ingresso di servizio, dall'aria abbastanza malandata.

«Ci penso io» disse Rob con un sorriso malandrino, che gli provocò un'occhiataccia da parte mia.

«Non pensi di essere già abbastanza nei guai?» sussurrai tra i denti. «Lascia fare a loro... è meglio. Metti che qualcuno ci veda...»

Ma non fu necessario scassinare la porta: era aperto.

Ci trovammo in una vecchia cucina, che però era stata rinnovata con attrezzatura all'avanguardia.

La cosa strana era che c'erano rimasugli di cibo sparsi ovunque: scatolette di tonno, ciotole di cereali, cartoni di pizza... era come se quella cucina così fornita non venisse usata da cuochi professionisti, ma da qualcuno che aveva solo interesse a riempirsi lo stomaco con la prima cosa che capitava.

«Che strano, non ha l'aspetto della cucina di un ricco. Sembra che sia stata usata da un liceale coi genitori fuori città per il weekend...» dissi io, provocando le risatine dei miei amici, che Miller zittì con un secco:

«Stt!»

«Qui ha mangiato più di una persona» osservò Amelie sottovoce. «Tutti questi piatti sporchi... sono stati usati da poco. E sembra che contenessero tutti lo stesso cibo...»

«Cosa significa?» chiese Rob.

«...che Mordred ha avuto ospiti a pranzo e gli ha offerto solo sardine e sugo di pomodoro?» suggerii, guadagnandomi un altro giro di risatine soffocate.

«Significa che potremmo trovarci ad affrontare parecchie persone assieme» disse Miller, tirando fuori dalla giacca quello che sembrava essere un taser. «Fate silenzio, e tenetevi pronti!»

Hal, Tyra e Geira evocarono le loro armi, che tennero in pugno, pronti all'azione.

Rob e io, come al solito, restammo a mani vuote: né lui né io eravamo ancora riusciti a evocare volontariamente le armi dei nostri antenati. Ma in ogni caso mi consolai, pensando che mi sarei sentita ridicola a brandire le metà inutili di una spada spezzata.

Avanzammo nella villa deserta e silenziosa. A differenza della cucina, i corridoi erano perfettamente in ordine, e i mobili ricoperti da uno spesso strato di polvere.

Improvvisamente, Miller ci fermò stendendo un braccio. «C'è qualcuno...» sussurrò.

Guardando oltre la sua spalla, sotto una porta chiusa, vidi filtrare la luce blu di uno schermo.

Amelie si picchiettò un orecchio per attivare la ricetrasmittente: «Madame Lefay, è sicura che Mordred non sia all'interno del perimetro? Sì. Sì, ricevuto. Verificheremo.»

Amelie chiuse la chiamata e si rivolse a noi: «Chiunque sia, non si tratta di Mordred.»

Sentii una morsa improvvisa di senso di colpa. «Wow, vuol dire che ci siamo infilati a casa di una persona qualunque? Penso che ciò faccia di noi dei criminali...»

«No, se non ci scoprono» puntualizzò Rob.

«Rob! È con questi ragionamenti che ti sei beccato sei mesi di servizi sociali!» lo sgridai.

«State zitti, insomma, volete farci scoprire?» sibilò Miller.

Rimanemmo in silenzio, in ascolto, ma chiunque ci fosse dietro quella porta non sembrava averci sentito.

Miller ci fece cenno di avanzare, e noi lo seguimmo, facendo meno rumore possibile.

Si avvicinò cauto alla porta e vi accostò un orecchio. Dopo un attimo si girò verso di noi, alzò tre dita, ne abbassò prima una, poi un'altra... Hal e Geira alzarono le armi. Appena abbassò il terzo dito, Miller si girò di scatto e tirò un violento calcio alla porta, che si spalancò di colpo con un rumore di legno spezzato.

Ci trovammo all'interno di uno studio ampio e luminoso, arredato con preziosi mobili d'antiquariato.

Davanti a tre monitor di ultima generazione, completamente incurante di tutto quello che era appena successo attorno a lui, c'era un uomo stempiato, con gli occhiali dalla montatura dorata, che fissava gli schermi mormorando fitto fitto tra sé qualcosa di incomprensibile.

Non ci degnò di uno sguardo.

Non accennò nemmeno ad alzare la testa.

Io e gli altri ci scambiammo una serie di occhiate perplesse. Poi Miller fece cenno con il mento di avanzare e, a passo lento, accerchiammo la scrivania, per andare a sbirciare oltre la spalla dell'uomo, che digitava furiosamente sulla tastiera senza fare caso ai nostri movimenti.

Sullo schermo, vidi una serie di finestre che si aprivano e si chiudevano molto rapidamente, con grafici, numeri, conti, immagini di case e di veicoli...

Da quella distanza ravvicinata, sentivo che l'uomo mormorava: «Westland WAH-64 apache, venduto. Appartamento, due piani, Chicago, comprato. Unimog U-5000, comprato. Stock in crescita 0,5%, vendere titoli. Appartamento, due piani, Chicago, venduto a prezzo triplicato...»

E tutto questo suo blaterare di vendere, comprare, investire, scambiare, continuava ininterrotto.

A un certo punto, Hal si azzardò a dargli una scossetta alla spalla. Quello ondeggiò, si interruppe per un secondo, ma poi immediatamente riprese, imperterrito.

«Ragazzi, questo è andato» disse Rob.

Io mi accorsi che i suoi occhi avevano la stessa espressione vacua che avevo visto in quelli di Namid.

Per esserne sicura, gli agitai una mano davanti alla faccia. Ma non ebbe nessuna reazione.

«Quest'uomo non è in sé. Penso che potrebbe essere sotto il controllo di Mordred» dissi allora.

Geira si sporse a guardare gli schermi. «Sembra che stia facendo una serie di operazioni finanziarie. È possibile che Mordred lo tenga sotto incantesimo in modo da poter usare il suo denaro per i propri scopi. Guardate qua, sta comperando degli elicotteri e dei furgoncini simili a quelli usati dagli scagnozzi di Mordred.

«Non possiamo lasciarlo qui così, dobbiamo aiutarlo!» disse Tyra.

«Ma non sappiamo cosa fare» disse Hal, strofinandosi la fronte. «Forse ci vorrebbe un antidoto, o qualcosa del genere... Potremmo tornare ad aiutarlo una volta che abbiamo capito cosa possiamo fare per lui.»

«Se gli impediamo di continuare con le sue operazioni, potremmo danneggiare le attività di Mordred nel mondo reale, o quanto meno rallentarle» disse Miller, e fece un cenno con il mento ad Amelie, che annuì in risposta.

Assieme, presero la poltrona girevole per i braccioli, e la usarono per trascinare l'uomo in un ripostiglio nel corridoio, appena fuori dallo studio, e lo chiusero a chiave al suo interno.

La sua voce, soffocata dal legno della porta, continuava a ripetere: «Comprare, vendere, investire, comprare, vendere, investire...»

«Wow, non vi sembra una soluzione un po' drastica? Potrebbe morire di fame, là dentro...» dissi io.

«A giudicare dal macello che abbiamo trovato in cucina, gli uomini di Mordred usano questa villa come base d'appoggio» rispose Amelie. «Sono sicura che lo troveranno presto... gli stiamo impedendo di lavorare: qualcuno verrà sicuramente a controllare.»

Io provai a protestare «Ma comunque è un po' eccessivo, non mi piace che...»

Geira mi interruppe. «Angy, è la soluzione migliore. Amelie ha ragione, lo troveranno in poche ore, stai tranquilla. E poi così abbiamo inflitto un danno a Mordred. O, almeno, lo abbiamo rallentato un po'...

Intanto, Hal si era chinato a smanettare sui computer. «Ragazzi, venite a vedere: pare che abbiano installato un tracciatore gps su tutti i furgoncini che hanno comprato.»

«Probabilmente Mordred vuole tenere sotto controllo i suoi seguaci per assicurarsi che vadano davvero dove ha ordinato...» disse Miller, avvicinandosi ad Hal per guardare gli schermi a sua volta.

«Possiamo usarlo a nostro vantaggio» disse Amelie, avvicinandosi anche lei, e scostando Hal dal computer. «Ecco, ora estrapolo tutti i percorsi che hanno compiuto nelle ultime due settimane...»

«Cosa hai in mente?» chiese Tyra, sospettosa.

«Voglio vedere se c'è un pattern nei loro movimenti.» rispose Amelie. Prese un pennarello indelebile dal portapenne sulla scrivania e si diresse verso la preziosa mappa dell'Inghilterra appesa a una delle pareti.

Senza tante cerimonie, si mise a disegnarci sopra.

Non riuscii a bloccare il verso strozzato che mi scappò dalla gola, come di un cane a cui hanno pestato la coda. «Quella è una mappa dell'Ottocento!» provai a protestare.

Sorda ai miei lamenti, Amelie continuava a spostarsi dal computer alla mappa e viceversa, tracciando una serie di linee che corrispondevano alle strade percorse dai tutti i furgoncini usati dagli scagnozzi di Mordred.

«Sono passati tutti da questa villa, che è qui» disse Amelie, indicando un punto della mappa dove convergevano tutte le stradine. «Ma guardate, qui c'è un secondo posto dove tutti i veicoli sembrano confluire! Però, che strano...» aggiunse un istante dopo, «non sembra che ci sia niente di particolare da quelle parti.»

«Magari è perché stai usando una mappa antica, provo a guardare sul satellite» disse Miller, digitando velocemente al computer. Corrugò la fronte, e per un attimo rimase in silenzio. «Non c'è nulla... in tutta questa zona ci sono solo boschi e campi, per chilometri.»

«Magari Morgana sa qualcosa» suggerì Geira. «Dopotutto, ha vissuto in Inghilterra, letteralmente, per secoli...»

«Hai ragione. E poi, meglio andarcene da qui prima che tornino gli uomini di Mordred. Datemi solo un attimo, che scarico tutti i dati di cui potremmo avere bisogno» disse, sporgendosi a inserire una chiavetta USB al lato dello schermo. Dopo qualche secondo, annuì, intascò la chiavetta, e tutti assieme uscimmo dalla villa il più velocemente possibile. Tornati alla macchina, Miller salì al posto del guidatore e mise immediatamente in moto. Amelie inserì le coordinate del luogo misterioso sul portatile e lo mostrò a Morgana.

Lei lo guardò in silenzio, e dopo un attimo iniziò a impallidire ancora più del solito, assumendo un aspetto quasi cadaverico.

«Conosce quel luogo, non è così?» disse Tyra.

Morgana si lasciò sfuggire un lungo sospiro, e annuì. «In quel luogo, un tempo sorgeva Camboglanna, il dodicesimo forte del vallo di Adriano.»

«E cos'ha di speciale?»

Morgana girò gli occhi verso di me, e mi sembrò di ricevere una pugnalata verde. «Una volta che i romani lo abbandonarono, quel luogo divenne noto con il nome gallese di Camlann.»

«Camlann... il luogo della battaglia dove Artù è stato ferito? Perché gli uomini di Mordred dovrebbero andare laggiù?»

«Possibile che Mordred abbia nascosto la sua base proprio lì?»

«Andiamoci e lo scopriremo...»

Il viaggio fu piuttosto lungo, e a un certo punto mi addormentai. E sognai...

Ero in un campo fangoso sotto una pioggia scrosciante. Tutto attorno a me c'era un rumore ovattato, come un eco, del clangore di metallo contro metallo, e di grida di rabbia e di dolore.

Ma attorno a me non c'era nessuno.

Dopo un attimo mi accorsi che la pioggia sembrava cadere su qualcosa di solido ma invisibile, disegnando con l'infrangersi delle gocce le sagome di moltissime persone, che si scontravano le une con le altre come se stessero combattendo.

E d'un tratto tutte le grida di battaglia sembrarono riunirsi in un'unica molteplice voce, che diceva: è qui e non è qui, è qui e non è qui, è qui e non è qui...

Mi svegliai di colpo, e per un attimo feci fatica a trovare il respiro.

Quando riuscii a calmarmi, mi accorsi che il nostro furgone stava avanzando lentamente su una stradina sterrata, fiancheggiata da un lato da un bosco e dall'altro da un vasto campo verde, su cui pascolavano placide alcune mucche dal manto pezzato.

«Siamo vicini...» disse Morgana.

È QUI
E NON È QUI...

Morgana ordinò a Miller di uscire dalla strada principale, e il furgone curvò in una strada sterrata che si addentrava nel bosco.

Il terreno accidentato ci costrinse a procedere lentamente, tra scossoni e scoppiettii di ghiaietto sotto le ruote, finché gli alberi si diradarono e ci trovammo in un ampio spiazzo erboso.

«È qui» disse Morgana e il furgone si fermò con un borbottio del motore.

Scesi giù con un salto, e mi accorsi di avere le gambe indolenzite per il lungo viaggio. Per sgranchirmi un po' feci qualche passo e mi guardai intorno.

Mi trovavo in una distesa verde, completamente

deserta e spazzata da un vento forte e teso, che mi costrinse a legarmi i capelli per evitare che mi finissero in faccia.

Non sapevo perché, ma quel luogo mi sembrava vagamente familiare... eppure non c'ero mai stata.

«Non capisco, qui non c'è nulla» dissi, infine un po' seccata. «Non ditemi che siamo arrivati fin qui per niente. Questo viaggio mi ha completamente frullata!»

«Già, ma allora perché i furgoni dei seguaci di Mordred dovrebbero riunirsi in questo posto?» commentò Geira. «Di certo non vengono fin qui senza una ragione!»

«Magari è solo un punto di ritrovo, per scambiarsi informazioni...» ipotizzò Amelie.

Miller aprì il portatile. «Ricontrollo i dati del gps, magari abbiamo sbagliato qualcosa.»

«Forse la base di Mordred è nascosta» suggerì Geira, «potrebbe anche essere sotterranea. Proviamo a cercare bene: potrebbe esserci una botola da qualche parte, o un meccanismo per aprire un passaggio...»

«Ottima idea. Adesso setacciamo il campo e il boschetto e teniamo gli occhi bene aperti!» ci esortò Miller. «Il primo che nota qualsiasi cosa fuori dall'ordinario dovrà avvisare gli altri.»

Mentre mi aggiravo nei dintorni alla ricerca di un ingresso segreto alla base di Mordred, notai che Morgana si era allontanata e vagava da sola in mezzo al nulla. Teneva il capo chino e le spalle un po' curve, come se portasse un grande peso o fosse sopraffatta dal dolore. Camminò finché non raggiunse il centro del campo e rimase lì, in completo silenzio, senza curarsi del vento, con i capelli che turbinavano intorno a lei come lingue di fumo.

Anche io ero turbata. Più mi guardavo attorno più mi rendevo conto che il campo dove ci trovavamo era molto simile a quello che avevo sognato tante volte. Ecco perché mi sembrava così familiare...

E se le voci che sento in sogno fossero quelle dei soldati caduti nella battaglia di Camlann? Pensai d'un tratto, come folgorata. *Continuavano a ripetermi la stessa cosa: è qui e non è qui... Chissà cosa vorrà dire? Forse significa che la base di Mordred è qui, ma è nascosta?*

«Continuiamo a cercare!» gridai ai miei amici. «La base deve essere qui, da qualche parte!»

Ripresi a controllare ogni roccia, ogni zolla, ogni cespuglio... ma né io né i miei amici trovammo nulla.

Dopo aver setacciato la zona in lungo e in largo per oltre un'ora ci ritrovammo tutti al punto di partenza, la delusione dipinta sui volti. Miller, che era stato il primo a rientrare, stava ricontrollando per l'ennesima volta il tragitto dei furgoni, sbuffando per la frustrazione. «Non capisco, i percorsi terminano tutti qui. È molto strano...» borbottava esasperato. «Ehi, un attimo!» gridò un istante dopo. «Uno dei furgoni di Mordred si sta avvicinando! Sarà qui fra mezzora.»

«Allora andiamocene, prima che ci trovino!» esclamò Rob, con la mano sulla maniglia della portiera. «Cosa aspettiamo? Chiamiamo Morgana!»

«No, aspetta...» lo interruppi io. «Se restiamo, potremmo scoprire cosa vengono a fare qui, in mezzo al nulla!»

«Ma ci vedrebbero subito!» protestò Rob.

«No, se ci nasconderemo...» intervenne Morgana, che ci aveva raggiunti in quell'istante. «Posso fare un incantesimo che ci occulterà alla loro vista.»

Raccolto un bastone dal suolo, tracciò un solco nella terra formando un ampio cerchio attorno al furgone. Poi alzò le mani verso l'alto, e per un istante un velo luccicante sembrò disegnarsi lungo tutto il perimetro che aveva tracciato... e quando abbassò le braccia, il furgone era scomparso.

Rimasi a bocca aperta.

«Tutto quello che si trova nel cerchio ora è invisibile al mondo esterno» spiegò Morgana.

A dimostrazione delle sue parole, scavalcò il segno che aveva tracciato, e scomparve alla nostra vista.

Dopo qualche secondo fece un passo avanti e ricomparve, e io notai che i suoi capelli e le maglie del suo golf di cachemire erano ricoperti da una miriade di minuscole goccioline, come se avesse attraversato un banco di nebbia.

Tyra non riuscì a nascondere la propria ammirazione. «Com'è possibile? Pensavo che i tuoi poteri fossero limitati a quelli di un'incantatrice, che non è in grado di creare o di distruggere, ma solo di modificare... far sparire le cose è magia, non illusione!»

«E infatti io non ho creato né distrutto niente...» rispose Morgana, una punto d'orgoglio nella voce. «Le cose all'interno del cerchio non spariscono veramente, ma sono nascoste da un effetto ottico: quello che ho fatto è stato semplicemente manipolare le particelle d'acqua e di luce in modo che riflettano quello che è dietro di noi, nascondendoci alla vista. I miei poteri saranno pure limitati dopo che Viviana ha separato i due mondi, ma un tempo ero una maga e ragiono ancora come una maga...

«Come Houdini, che ha fatto sparire un elefante usando solo un grosso armadio e un effetto ottico!» ridacchiò Rob. Morgana lo ignorò, ma notai un angolo della sua bocca piegarsi verso il basso, evidentemente infastidita dal paragone.

«Riuscire a fare un incantesimo del genere nonostante le limitazioni di un'incantatrice, richiede davvero molto ingegno...» si complimentò Tyra.

Morgana le mise una mano sulla spalla e la fissò a lungo con uno sguardo verde muschio.

«Tyra, tu hai molto potenziale, che ad Avalon non viene valorizzato come dovrebbe. Io potrei mostrarti come utilizzarlo fino in fondo, ti insegnerei tutto quello che so, anche quello che Viviana non vuole che tu sappia, perché ha paura che diventi troppo potente. Esattamente come aveva paura di insegnare a me...»

«E forse aveva le sue buone ragioni» ribatté Tyra, «visto che poi hai finito per allearti con Mordred. E comunque, non ho bisogno del tuo aiuto.»

Morgana continuava a guardarla fissa negli occhi. «So da dove ha origine tutto il tuo orgoglio, Tyra Hope. Tuo padre era un veterinario, stavate bene, non vi mancava nulla. Finché non è morto in un incidente d'auto. Eri ancora al liceo, ma hai dovuto iniziare a lavorare per aiutare tua madre a mantenere te e i tuoi quattro fratelli. Sei stata molto in gamba a sfruttare i social network per fare pubblicità ai vestiti che tu stessa inventavi e cucivi... sei riuscita a ottenere il successo, a pagarti il college, a togliere la tua famiglia da una situazione difficile. E siccome hai ottenuto tutto questo con le tue sole forze, pensi di non avere bisogno di niente e di nessuno. Non di me, ma neanche di Avalon, né della tua eredità, né dei tuoi amici... Non sei stanca di lottare da sola?»

A quelle parole Tyra esplose. «Ora basta, è da quando abbiamo iniziato il viaggio che cerchi di manipolarmi. Pensi di poter usare la mia sofferenza contro di me? Non sai niente di quello che ho passato, altrimenti sapresti che molte altre persone hanno già provato a usare questi trucchetti con me e non ci sono mai riusciti. Quindi faresti molto meglio a stare zitta una buona volta, perfida cornacchia!»

Morgana, che era sempre rimasta impassibile di fronte alle nostre frecciatine, questa volta rimase quasi a bocca aperta per la durezza delle parole di Tyra.

Capii che l'aveva sottovalutata.

Tyra si allontanò furibonda, sparendo tra gli alberi che circondavano il campo.

Dopo mezzo minuto di silenzio carico di tensione, Geira non resistette più.

«Vado a vedere se Tyra sta bene!» disse, e la seguì trottando, finché il bosco non nascose anche lei dalla vista.

Nel campo calò un silenzio imbarazzante, che tentai maldestramente di smorzare.

«Cavolo, spero che si sbrighino ad arrivare, non vedo l'ora di farla finita e andare a pranzo... sto morendo di fame!» dissi io, e Miller si lasciò scappare una risatina.

«Non c'è da ridere... il calo di zuccheri non è uno scherzo» gli disse Rob, infastidito, e Miller alzò le mani in segno di resa, ma aveva ancora un sorriso dipinto in volto.

La tensione divenne insopportabile, allora visto che Tyra e Geira erano scomparse ormai da qualche minuto, decisi di andarle a cercare per assicurarmi che stessero bene e che tornassero prima dell'arrivo degli uomini di Mordred.

Seguendo il suono delle loro voci concitate, le trovai poco distante, nel boschetto, che discutevano animatamente tra loro.

«Non volevo offenderti, mi stavo solo preoccupando per te! Effettivamente Morgana ha ragione, vuoi fare tutto da sola e non accetti l'aiuto di nessuno...» diceva Geira.

«Non ci posso proprio credere che tu le stia dando ragione! E poi tu lo dici a me? Veramente sei tu quella che se ne stava sempre per conto suo a Los Angeles!»

«Beh, scusa tanto, ma non mi trovavo molto bene con le tue coinquiline!»

«Ma se non hai neanche provato a parlare con loro!

«Ho sentito quello che dicevano alle mie spalle, sai? Che non capivano come mai tu fossi amica di una "boscaiola vichinga" come me».

«Beh...»

«Che c'è?»

«Lo sai che ti adoro, ma ti sei portata dietro cinque camice a scacchi di colore solo leggermente diverso...»

«Non ci posso credere, sei davvero d'accordo con quelle ochette frivole?»

A questo punto Tyra si infuriò davvero.

«Sei proprio un'ipocrita! Ti offendi perché loro ti hanno giudicata per come ti vesti, ma tu stai facendo lo stesso con loro, e quindi anche con me, perché ci tengo al mio aspetto e ai miei abiti tanto quanto loro. E se noi "ochette frivole" ti diamo così tanto fastidio, ti puoi trovare un altro posto dove stare!»

Tyra si girò e si allontanò a grandi passi.

Quando si accorse che ero lì e che avevo assistito a tutta la scena, mentre mi passava di fianco mi urlò addosso: «Sempre a origliare, tu? Dovresti smetterla di ficcare il naso negli affari degli altri!»

Rimasi senza parole, che cosa stava succedendo?

Raggiunsi Geira, che era rimasta imbambolata in mezzo al boschetto e la presi sottobraccio.

«Vieni dai, dobbiamo rientrare...»

Lei annuì e si lasciò letteralmente trascinare, senza dire nulla, finché non tornammo dagli altri, nella radura.

Miller ci venne incontro, agitatissimo.

«Eccovi finalmente! Entriamo nel cerchio, forza.

Gli uomini di Mordred stanno per arrivare!»

Tyra era ancora furibonda, appoggiata al cofano del furgone. Geira andò a sedersi in disparte, con l'aria di chi sta per piangere per la rabbia e fa di tutto per nasconderlo.

Io ero molto preoccupata per quella situazione: eravamo sempre stati uniti tra noi, anche in situazioni difficili e di grande tensione... che cosa ci stava succedendo?

Però, vista la reazione di poco prima di Tyra, che mi aveva ferita più di quanto volessi ammettere, decisi che era meglio non mettermi in mezzo.

Problemi loro... che se la vedano tra loro! Non sono affari miei, Tyra ha ragione!.

Mentre riflettevo su queste cose, fu Amelie a intervenire: andò a sedersi accanto a Geira e le mise un braccio sulle spalle per consolarla, e iniziarono a parlare fitto tra loro.

Nonostante la litigata che avevano appena avuto, o forse soprattutto a causa di quella, Tyra ne fu molto infastidita, e le guardava storto da lontano, scuotendo la testa in segno di disapprovazione.

Intanto Miller mi si avvicinò e mi porse una bottiglietta d'acqua e una barretta di cereali.

«Ecco, tieni: razione d'emergenza contro il calo di zuccheri!» E dopo un ultimo sorriso si allontanò.

«Che bellimbusto... ma cosa crede di fare? Cerca di corromperti con una barretta di cereali?» protestò Rob.

«Ma Rob, che dici, mi ha solo fatto un piacere. È stato gentile!»

«Ah, e lo difendi pure? Si vede che funziona... brava, tradisci Avalon per uno snack! Complimenti, davvero...» e si allontanò calciando via un sasso, e andò a sedersi a gambe incrociate al limitare del cerchio.

Io ero assolutamente stupefatta.

«Ma che accidenti gli è preso? Che cavolo hanno tutti quanti oggi?»

Di fianco a me Halil tirò un sospiro e scosse la testa.

«Questo conferma i miei sospetti! Avrei dovuto intervenire prima, anche se non ero sicuro. Ora, potrebbe essere troppo tardi...» mi sussurrò in un orecchio.

«Ma di cosa stai parlando?»

Lui mi guardò con espressione seria. «Non vedi anche tu cosa sta succedendo? Stanno cercando di dividerci! Amelie sta creando attrito tra Tyra e Geira, e

Miller si è messo in mezzo tra te e Rob. È un po' che ho notato questa cosa, ma non ho detto niente perché l'hanno fatto in modo talmente sottile che temevo di essermi immaginato tutto...»

«Anche io avevo notato che Amelie cercava di fare amicizia con Geira, ma non pensavo lo facesse apposta per infastidire Tyra.

«Sono stati molto bravi, hanno seminato inimicizia lentamente, tramite piccoli gesti, in modo che nessuno dei diretti interessati se ne accorgesse... soprattutto Miller con i suoi piccoli favori nei tuoi confronti, nient'altro che piccole gentilezze, che però hanno ottenuto lo scopo di far infuriare Rob sempre di più...»

Io ero sempre più confusa: «Ma non capisco, perché il fatto che Miller sia gentile con me dovrebbe intaccare la mia amicizia con Rob?

Hal mi guardò quasi con tenerezza. «Oh Angy, ma non l'hai ancora capito che Rob è cotto di te?»

«Eeeh? Cosaaa? Stai scherzando? Ma che dici...»

Poi però ci pensai su un attimo. «Caspita, forse è vero... ma, voglio dire... Rob è mio amico, non ci ho mai neanche pensato a lui in quel senso...»

Fu allora che udimmo un rumore di motore in avvicinamento e, per il momento, tutte quelle questioni finirono in secondo piano: avevamo qualcosa di molto più urgente a cui pensare...

Nel covo di Mordred

All'interno del cerchio magico cadde un silenzio carico di tensione e attesa.

Nessuno di noi osava muoversi e quasi trattenevamo il respiro, perché il velo magico ci nascondeva alla vista ma non attutiva i suoni: qualsiasi rumore da parte nostra ci avrebbe fatti scoprire.

Dopo qualche istante, uno di quei camioncini grigi che ormai ci erano molto familiari, entrò dalla stessa stradina da cui eravamo arrivati poco prima. Sembrò che venisse dritto verso di me e io ebbi un attimo di puro panico.

Stavo per cacciare un urlo di terrore, quando all'ultimo istante deviò, evitò per un soffio il perimetro del cerchio e si fermò in mezzo al prato.

Dal furgone uscirono cinque ragazzi in felpa grigia.

Si posizionarono a semicerchio in mezzo al campo, e rimasero qualche istante immobili, fissando il vuoto davanti a sé. Poi, formarono una sorta di catena, mettendo ciascuno un braccio sulle spalle del vicino.

«Ma che cavolo stanno facendo questi qui? Un balletto di gruppo?» sussurrai per smorzare la tensione che mi divorava.

Morgana mi gelò con uno sguardo verde acido.

«È un rituale, sciocca ragazza! E quello che stanno facendo non ti piacerà, temo...

Un istante dopo, dalle loro bocche uscirono dei filamenti scuri simili a nastri di fumo che, annodandosi e attorcigliandosi, si unirono al centro del semicerchio. Sotto i nostri occhi andò formandosi un'unica grande ombra scura, che aveva l'aspetto di un gigantesco guerriero con elmo e mantello svolazzante.

Raggelata dal terrore, osservai l'ombra attraversare il prato, fermarsi a una cinquantina di metri dai ragazzi e infilare le lunghe dita scarne nel nulla. Con gesti rabbiosi, iniziò a strappare, tirare e lacerare l'aria davanti a sé. Poco alla volta, in mezzo al campo si materializzò un portale simile a quello che avevamo già visto a Eea.

I cinque ragazzi iniziarono a muoversi per raggiungerlo, attraversando rapidamente il prato a piedi.

Io venni fulminata da un'idea improvvisa: «Dobbiamo prenderli prima che scappino!»

«Cosa stai dicendo! Sei fuori?!» esclamò Rob.

Ma io ero già saltata fuori dal cerchio, e correvo verso gli uomini di Mordred. Con la coda dell'occhio vidi che i miei amici mi seguivano, e una serie di lampi di luce mi avvisò che avevano evocato le armi dei loro antenati.

Allarmati dalle grida e dalle luci, i quattro ragazzi si girarono verso di noi.

Avevano i volti coperti da bandane e gli occhi vacui e spenti come quelli di Namid e dell'uomo nella villa.

Rimasero per un istante paralizzati dalla sorpresa di vederci comparire all'improvviso, gridando e agitando le armi, poi si girarono e presero a correre verso il portale.

Allora Tyra tese un braccio e gridò: «Fermi! Dove credete di andare?»

Alle sue parole, dal suolo sbucarono delle radici lunghissime e robuste che si avvolsero come serpenti attorno alle loro gambe, facendoli inciampare.

Una volta che i ragazzi furono a terra, si avvolsero come funi tutto attorno ai loro corpi, immobilizzandoli.

Rob fu il primo a raggiungerli e si affrettò a togliere loro i cappucci e le bandane per vederli in volto.

«Li riconoscete?» chiese Rob.

«Sì... lui è scomparso qualche settimana prima che arrivaste. Lei invece ha terminato i suoi studi ad Avalon l'anno scorso. Non sapevo che fosse scomparsa» disse Hal.

Geira annuì. «Sì, mi ricordo di loro. Riconosco anche gli altri due, è un po' di tempo che non li vedo ad Avalon, pensavo che avessero semplicemente abbandonato...»

Intanto anche Morgana e i suoi stagisti erano usciti dal cerchio, e ci stavano raggiungendo senza fretta, come se il fatto che avessimo già gestito la situazione li giustificasse a non aumentare nemmeno il passo.

Rob scavalcò uno dei ragazzi immobilizzati a terra e andò a sbirciare nel portale, che rimaneva ancora aperto.

«Secondo voi dove porta?»

Morgana si avvicinò a sua volta e provò a infilare una mano nel portale. Io mi aspettavo che passasse attraverso, ma invece sembrò bloccata da una parete di vetro. Si ritrasse bruscamente, come se il contatto le avesse provocato dolore.

«Non posso passare... questo significa che il portale conduce alla dimensione magica.»

«Non può essere, se Mordred si trovasse lì, il Consiglio dei Leggendari e le Incantatrici se ne sarebbero accorti!» disse Geira.

«E se invece si trovasse nel velo che separa i due mondi, dove era intrappolato Artù?» disse Tyra. «Questo spiegherebbe perché non riuscivamo a trovarlo né nel mondo magico, né nel mondo reale...»

«È qui e non è qui...» mormorai, ricordandomi delle voci del mio sogno.

«E adesso che facciamo?» chiese Rob.

«Noi non possiamo aiutarvi...» disse Miller. «Io e Amelie non siamo Leggendari né incantatori e non possiamo passare nel mondo magico.»

Allora mi venne un'idea. «Perché non indossiamo le loro felpe e le loro bandane? Potremmo oltrepassare il portale e infiltrarci tra i seguaci di Mordred...»

«Stai scherzando? È un rischio troppo grande, potrebbero scoprirci!» esclamò Tyra scuotendo la testa.

«Angy ha ragione. Non sappiamo se e quando si ripeterà un'occasione del genere...» osservò Geira. «Non abbiamo altra scelta, dobbiamo approfittarne!»

Alla fine fummo tutti d'accordo: era l'unica cosa da fare. Indossammo in fretta e furia le felpe e bandane dei ragazzi che avevamo catturato, e ci infilammo nel portale.

Ci fu una luce accecante e provai un forte e istantaneo mal di testa. Poi finalmente riuscii a riaprire gli occhi.

Davanti a me c'era un immenso mare, calmo come uno specchio, che a tratti sembrava mutare e diventare un campo fangoso.

Quello strano effetto cangiante era lo stesso che avevo visto nella battaglia del lago di Central Park.

Dall'acqua (*o forse invece era il fango che copriva il campo?*) emergevano, come mani protese, una miriade di armi abbandonate, armature vuote, scudi spezzati, spade e lance piantate nel terreno...

Fui percorsa da un brivido di inquietudine.

Più in là, oltre a questa tetra distesa di armi abbandonate, c'era una robusta palizzata di legno, che lasciava intravedere cime di tende e tetti di casupole.

«Dai, entriamo! Ma stiamo attenti a non farci scoprire...» ci esortò Hal, «camminiamo con calma, e restiamo in silenzio.»

«Teniamo lo sguardo fisso davanti a noi» suggerì Tyra. «Dobbiamo sembrare burattini privi di volontà...»

Era l'unica cosa da fare, ma non fu per niente facile restare impassibile e calma mentre il cuore sembrava balzarmi nel petto per l'ansia e la paura.

«O cavolo, non ce la faremo mai... ci beccheranno!» mormorai mentre ci avvicinavamo all'ingresso, vicino al quale erano seduti gruppi di ragazzi con la felpa identica alla nostra.

Ma contro ogni mia più losca previsione, nessuno ci fermò e riuscimmo a entrare nell'accampamento...

All'interno della palizzata si accatastavano una sull'altra tende di tutti i tipi e di tutte le epoche.

Padiglioni medievali di stoffa grezza, che sembravano usciti da una fiera medievale, con tanto di insegne dipinte a mano, erano piantati accanto a quelle che un tempo dovevano essere state graziose tende da campeggio a casetta; moderne tende a cupola da escursionismo sorgevano fianco a fianco con grandi tendoni militari in stoffa mimetica.

Tra una tenda e l'altra c'erano una quantità impressionante di baracche: di legno, di paglia e fango, di lamiera e di ogni genere di materiale di recupero, che davano al tutto l'insieme un'aria vagamente post-apocalittica.

Girovagando tra le tende e le casupole, notai che questo strano miscuglio di medioevo e modernità valeva anche per gli oggetti di vita quotidiana: le camping gas convivevano con i focolari di pietra; le incudini e le asce, con i trapani e le seghe a motore. Teli di plastica impermeabile coprivano antichi tetti di paglia, equipaggiamento elettronico d'avanguardia era appoggiato su barili di legno marcio...

Era un po' quello che succedeva ad Avalon, ma mentre lì il tutto era più armonioso ed era diventato normale per me vedere ragazzi in abiti moderni girare in mezzo a mura millenarie, qui l'effetto sembrava stridente e fuori posto, forse per l'atmosfera tetra e il disordine che regnava ovunque.

Per fortuna nessuno sembrava curarsi di noi.

Alcuni ragazzi gironzolavano tra le tende indaffarati in vari compiti, come riparare i tetti delle case o scavare terrapieni. La maggior parte di loro però stava seduta immobile, appoggiata ai muri delle baracche, accasciata sulle panchette o semisdraiata a terra, come se fossero preda di un'apatia mortale.

L'unica cosa che si muoveva erano i loro occhi che ci seguivano ossessivi e inquietanti mentre camminavamo in mezzo a loro.

Sembravano marionette a cui avevano tagliato i fili...

«Wow, che allegria a casa Mordred...» sussurrò Rob.

«Shh!» lo ammonì Geira.

«Ragazzi, concentriamoci: dobbiamo cercare di capire dove custodiscono la Pietra Nera» ci esortò Hal.

Tyra si guardava nervosamente attorno. «Sono d'accordo, ma una volta trovata, come faremo a tornare?»

«Il portale è rimasto aperto» le rispose Geira, «ma non sappiamo per quanto tempo: appena qualcuno se ne accorgerà, verrà richiuso e noi rimarremmo intrappolati qui...»

«E se resteremo qui, nel migliore dei casi finiremo come loro!» aggiunsi io, indicando i ragazzi che ci fissavano inebetiti. «E nel peggiore... beh, non voglio nemmeno pensarci!» rabbrividii.

«Sono d'accordo, dobbiamo sbrigarci» sussurrò Hal.

Dopo pochi passi, girammo dietro una baracca e ci trovammo in un ampio spiazzo, al centro del quale c'era una casupola molto più grande delle altre.

Era circondata da una specie di recinto metallico, formato da centinaia e centinaia di spade piantate al suolo.

Il legno della casupola era decorato da drappi rossi, di gradazioni di colore diverse, alcuni vividi, altri scuri, altri ancora stinti e stracciati. Dai drappi che coprivano le finestre filtrava una intensa luce viola.

«Ok ragazzi, avete visto quella luce? Se c'è un posto dove tengono la pietra, dev'essere quello...» dissi io.

Rob deglutì rumorosamente. «Cavolo, pensate che lì dentro ci sia Mordred in persona?»

«Andiamo sul retro e vediamo se c'è un ingresso un po' nascosto da dove ci possiamo intrufolare...» propose Geira.

In quel momento passò davanti alla casupola un cavaliere alto e massiccio, quasi un gigante. La sua armatura era annerita di fuliggine e decorata con le insegne di un cigno. Il suo elmo, a forma di testa di leone, aveva un pennacchio stracciato che un tempo doveva esser bianco, ma che ora appariva grigio fango. A grandi passi pesanti il cavaliere fece il giro tutt'attorno alla baracca e riapparve dall'altra parte.

Stava facendo la guardia.

«Oh, no! Questo complica le cose...» sussurrò Hal.

Geira si tirò il cappuccio ancora più giù per gettarsi ombra sugli occhi. «Facciamo finta di nulla... e andiamo a controllare da vicino.»

Mentre mi avvicinavo alla baracca cercando di non dare nell'occhio, con il cuore che sembrava volermi balzare dal petto per la paura, mi sembrò di vedere un volto familiare... Tornai indietro a guardare meglio: seduto con la schiena appoggiata a una casupola c'era Namid.

E guardava fisso verso di me.

Per un attimo temetti che mi avesse riconosciuto e che avrebbe dato l'allarme, ma rimase immobile dov'era e non disse una parola. Io mi guardai attorno per assicurarmi che non ci fosse nessuno, e mi avvicinai a Namid, chinandomi per controllare che stesse bene.

Vidi che i suoi occhi, a differenza di quelli dei ragazzi che avevamo appena catturato, erano vivi, e si muovevano frenetici, come se mi riconoscesse e volesse dirmi qualcosa, ma non ci riuscisse.

Geira mi raggiunse e disse tra i denti: «Angy, che fai?! Vuoi farci scoprire?»

«È Namid, e penso che mi riconosca, ma che non possa muoversi. Dobbiamo salvarlo, portarlo ad Avalon! Magari riescono a guarirlo!»

Geira scosse la testa. «No Angy, rischieremmo di farci scoprire. Ricordati che siamo qui per prendere la Pietra Nera! Dammi retta, anche se salvassimo Namid e tutti gli altri ragazzi, non servirebbe a nulla, perché se Mordred avrà la pietra prima o poi sarà la fine per tutti, lo sai. Ma se gliela portiamo via, possiamo tornare qui con i rinforzi e liberarli tutti.»

Non volevo sentire quei discorsi.

«Non c'è bisogno di scegliere, possiamo fare entrambe le cose! Adesso portiamo Namid e più ragazzi possibile fuori dal portale, e poi torniamo a riprendere la pietra.»

Lo sguardo di Geira si fece insolitamente duro.

«Angy sei davvero ingenua se la pensi così: siamo già sul filo del rasoio, potrebbero scoprirci da un momento all'altro! Piuttosto, se vogliamo provare a fare entrambe le cose, prima prendiamo la pietra, e poi torniamo indietro a salvarli.»

Dal puro punto di vista logico, aveva ragione... il che contribuì a infastidirmi ancora di più. Così sbottai: «Da quand'è che sei tu a comandare?».

«Ti sei dimenticata che io e Hal siamo i vostri supervisori?»

Effettivamente me ne ero dimenticata. Ma non mi importava.

«Quelle sciocchezze contano solo ad Avalon, non qua fuori!»

Geira sembrò esplodere per la rabbia. «Ah sì? E ora che siamo qua fuori, cosa pensi che ti dia l'autorità di decidere per tutti noi?»

Io non dissi nulla, perché non lo sapevo neanche io. Così rimasi in silenzio, con la rabbia che mi montava dentro.

Improvvisamente, quasi a darmi la risposta che cercavo, l'elsa rotta di Excalibur mi apparve tra le mani con un lampo di luce, senza che io la chiamassi, sotto gli sguardi stupefatti dei miei amici.

In quell'istante, sentimmo un rumore simile al rombo di tuono. Le nuvole sembrarono abbassarsi e addensarsi sopra l'accampamento come un tetto di nebbia, e su quello strato grigio di nuvole si disegnò di nuovo l'orribile ombra scura, che sembrò alzare un braccio e indicare verso di noi.

Ci avevano scoperti!

Dei lunghi tentacoli d'ombra uscirono dalla casa più grande e scivolarono verso di noi come serpenti.

Noi eravamo paralizzati dal terrore.

Fu Halil ad avere la presenza mentale di gridare: «Scappiamo!»

Discordia

Fuggimmo a rotta di collo verso il portale. Mentre correvo, continuavo a voltarmi indietro per il terrore di essere raggiunta dall'ombra. Con orrore, vidi che alcuni filamenti scuri, simili a tentacoli di fumo, si posavano sui prigionieri. Una volta toccati dall'ombra i ragazzi, che fino a un istante prima erano immobili e senza vita, si risollevarono meccanicamente, come se dei fili invisibili li tirassero su per la collottola. E una volta in piedi, iniziarono a rincorrerci.

Usciti dall'accampamento, ci scapicollammo attraverso il campo di battaglia, schivando spade conficcate e pezzi di armature e scudi.

Il portale era ancora aperto davanti a noi, splendente

come una fiammella, ma prima che riuscissimo a raggiungerlo, dal suolo fangoso (*o forse era l'acqua immobile dell'Oceano Magico?*) emersero come fili di fumo tre figure informi di ombra nera.

Si schierarono davanti a noi a sbarrarci il passaggio.

Immediatamente Hal evocò Gramr, la spada di Sigfrido, e si gettò all'attacco contro le ombre.

Anche Geira chiamò il suo scudo, e si chinò a raccogliere una delle spade dal campo di battaglia, buttandosi nella mischia.

Io avevo in una mano l'elsa rotta di Excalibur, del tutto inutile a combattere, e con l'altra strappai via una spada lunga dal fango. Rob si affrettò a imitarmi.

Una delle ombre scivolò verso di noi con le mani protese e io menai un gran colpo di spada per mozzarle le braccia, che si dissolsero come fumo... ma un istante dopo si riformarono davanti ai miei occhi, come se nulla fosse!

Anche Hal e Geira, nonostante colpissero molte volte i loro avversari, riuscivano solo a rallentarli, perché immediatamente si ricomponevano davanti a loro.

Dietro di me sentii il terreno rimbombare ritmicamente come se fosse percosso da passi pesantissimi.

Mi girai, e vidi che il gigantesco cavaliere con l'insegna del cigno e l'elmo dal pennacchio bianco stava correndo verso di noi a grandi falcate, seguito a breve distanza dai ragazzi schiavi di Mordred, con le armi sguainate.

Mentre ero distratta a guardare, l'ombra che stavo affrontando mi si avvicinò con le braccia protese.

Balzai indietro con un urlo, un attimo prima che mi afferrasse, ma non riuscii a evitare che mi sfiorasse un braccio. Nel punto in cui mi toccò, ebbi una terribile sensazione di gelo, che sembrò attraversarmi tutte le ossa.

Con un gran colpo di spada, Rob la affettò dalla testa ai piedi, ma dopo un attimo quella tornò a riformarsi.

«Che facciamo? Non possiamo sconfiggerle!» gridò Rob terrorizzato.

Intanto il cavaliere ci aveva quasi raggiunto.

«Ho un'idea!» disse Tyra, e avanzò tendendo il braccio.

Sul suo palmo apparve la fiamma bianca che evocava di solito per fare luce, ma invece di rimanere piccola come una lanterna, crebbe a dismisura, finché la sua luce immacolata non sembrò, per un istante, avvolgere tutti noi.

Davanti ai nostri occhi le ombre diventarono sempre

più chiare e sottili, fino a dissolversi completamente.

«Via, via! Usciamo da qui!» gridò Hal, agitando il braccio per richiamare la nostra attenzione.

Uno alla volta i miei amici si buttarono dentro il portale. Io, che ero l'ultima, riuscii a saltare dentro solo un istante prima che la mano guantata di metallo del cavaliere si chiudesse attorno al cappuccio della mia felpa.

Dopo un rapido e doloroso lampo di luce, caddi fuori dal portale e rotolai a terra nel mondo reale.

Quando il mal di testa provocato dal passaggio improvviso mi passò, riaprii gli occhi e mi trovai davanti al naso due paia di eleganti scarpe stringate nere e un paio di assurde décolleté di vernice tacco dodici.

Alzai lo sguardo e incontrai gli occhi verde palude di Morgaine che mi fissavano gelidi. «Allora? Avete preso la pietra?» chiese, con un'insolita agitazione nella voce.

«Ehm... abbiamo avuto un piccolo problema...» le risposi, balbettando.

Quasi a sottolineare le mie parole, in quell'istante gli schiavi di Mordred iniziarono a riversarsi fuori dal portale.

Cinque, dieci, venti, cinquanta...

Erano molti più di quanto mi aspettassi!

Nell'accampamento non mi ero resa assolutamente conto che Mordred avesse rapito così tanti ragazzi...

Subito, Tyra evocò Talos, che si parò davanti al portale con il suo enorme corpo di bronzo, cercando di bloccare l'uscita. Ma i ragazzi che arrivavano erano troppi, e dopo un po', Talos si trovò a barcollare all'indietro sotto il peso dei corpi che gli si aggrappavano addosso, come formiche impazzite.

Io strinsi la presa sull'elsa delle mie spade, Excalibur e quella che avevo raccolto dal campo di battaglia, e mi preparai a un combattimento disperato: non avevamo alcuna possibilità di farcela, erano troppi.

In quel momento il cielo, che fino a poco prima era rimasto sereno, si rabbuiò di colpo e si coprì di nuvole scure.

Un rombo di tuono attraversò minacciosamente l'aria e l'aspetto di Morgaine mutò, esattamente come era accaduto qualche tempo prima, durante la battaglia sulla Soglia...

Davanti ai nostri occhi apparve la vera Morgana, l'incantatrice senza tempo, alta, bellissima e terribile come un uragano. Indossava una lunga tunica color verde foresta, che si gonfiava per le raffiche di vento come una bandiera sul campo di battaglia. Sulla fronte portava una corona di fiori di biancospino e i suoi capelli, lunghi quasi fino ai piedi e adorni di perline argentate, si agitavano attorno a lei come lunghi tentacoli scuri.

Morgana parlò, in una lingua che non riuscii a comprendere, e la sua voce rimbombò per tutto il campo, forte e potente come il rombo dei tuoni sopra di noi.

Tra le parole che non riuscivo a distinguere mi parve di riconoscere un nome, ripetuto molte volte: "Medrawt"...

D'un tratto, forse perché quella lingua apparteneva alla mia eredità di Leggendaria, cominciò a suonarmi familiare. Compresi che Morgana stava parlando con Mordred in gaelico, la lingua che usavano in passato.

Qualsiasi cosa stesse dicendo Morgana, doveva essere molto convincente, o molto minacciosa, perché dopo essersi immobilizzati un attimo, tutti i ragazzi si diedero alla fuga verso il portale.

Immediatamente Tyra rimpicciolì Talos alle sue dimensioni normali. Poi, come le avevo già visto fare prima della nostra incursione oltre il portale, tese un braccio e al suo comando sbucarono dal suolo delle lunghe radici. Strisciando veloci come serpenti si annodarono alle caviglie degli ultimi quattro ragazzi rimasti fuori dal portale e li intrappolarono.

Sollevata pensai che tra questi e quelli che avevamo catturato prima, e a cui avevamo 'preso in prestito' le felpe, avevamo salvato da Mordred nove ragazzi. Non molti, purtroppo, ma meglio che niente...

L'illusione creata da Morgana cessò, il cielo tornò limpido e lei riprese il suo aspetto normale.

Tutte le nostre armi magiche svanirono nello stesso istante, segno che il pericolo era passato.

I ragazzi che avevamo catturato, dopo essersi dimenati per qualche secondo, improvvisamente rimasero immobili.

Corsi a controllare che stessero bene, e quando mi avvicinai a uno di loro, vidi che i suoi occhi erano vivaci e presenti, come quelli di Namid all'accampamento...

Dopo qualche istante mi resi conto che uno di loro, che era caduto più lontano, quasi al confine con il portale, era proprio Namid. Andai a inginocchiarmi nell'erba di fianco a lui. Era a terra, ammaccato e legato come un salame, ma con un'espressione quasi sollevata nello sguardo.

«Namid, stai bene?» chiesi in preda all'ansia.

Non rispose, ma mi fissò e i suoi occhi parevano volermi dire qualcosa.

«Se riesci a sentirmi, sbatti le palpebre due volte!»

E lui... sbatté le palpebre due volte!

Tyra, che aveva visto tutto, si inginocchiò di fianco a me. «Forse i ragazzi rapiti sono coscienti solo quando Mordred non controlla i loro corpi...» ipotizzò.

«Namid, sbatti le palpebre due volte se è come dice lei» lo incalzai, e lui lo fece.

Mi girai verso i miei amici, con gli occhi pieni di lacrime, che cercai di cancellare rabbiosamente con la manica della felpa. «È orribile quello che Mordred sta facendo...

Hal ci appoggiò una mano sulla spalla: «Dobbiamo portarli subito ad Avalon, se c'è qualcuno in grado di liberarli dall'influenza di Mordred, quelli sono Merlino e Viviana!

«E dobbiamo fare in fretta, potrebbero arrivare i rinforzi!» disse Rob, guardandosi attorno preoccupato.

«C'è un lago a meno di un'ora di macchina da qui: potrete usarlo per passare ad Avalon» disse Morgana. «Non preoccupatevi! Vi aiuteremo a portare lì i ragazzi.»

Tyra schioccò le dita e le radici che imprigionavano i ragazzi si ritrassero.

Geira e Hal, che erano i più robusti, aiutati da Miller,

iniziarono a caricare i ragazzi che avevamo salvato sui due furgoni, quello di Morgana e quello di Mordred.

Fu in quest'ultimo che salii io, assieme a Rob, Tyra e Hal, che si mise alla guida. Geira invece fu costretta a salire sull'altro, perché non c'era posto anche per lei.

Partimmo al seguito del furgone di Morgana.

Solo dopo qualche minuto di viaggio riuscii a tirare un respiro di sollievo, e a rilassarmi un attimo.

Fu allora che mi accorsi di avere ancora in mano la spada che avevo raccolto nel campo di battaglia.

La osservai attentamente, e decisi che mi piaceva molto: era un po' spuntata ma aveva un buon equilibrio e soprattutto una bella elsa, decorata con un intreccio celtico.

Visto che Excalibur era inutilizzabile, avrei potuto usare quella per difendermi, d'ora in avanti, anche se sarebbe stato un po' difficile, forse, nasconderla ai miei genitori.

Con questi pensieri, stanca com'ero, mi addormentai di colpo. Venni svegliata poco dopo da Tyra che mi scuoteva gentilmente una spalla.

Avevamo raggiunto il lago, stretto e scuro, infossato in mezzo alle dolci colline verdi come una vecchia ferita.

Il cielo sopra di noi era coperto e tra le nuvole gonfie di pioggia si intravedevano solo brevi squarci di azzurro.

Quando scesi dal furgone, Geira si avvicinò a noi. «Morgana ha detto che ci sono delle barche a riva. Possiamo prenderne in prestito un paio per raggiungere il centro del lago.

«D'accordo, io contatterò Viviana e le chiederò di aprirci il passaggio» disse Tyra.

Hal e Geira iniziarono a caricare sulle barche i ragazzi che avevamo salvato. Li reggevano per le braccia e per le gambe, facendo attenzione a non sballottarli troppo.

Nonostante il trattamento un po' grezzo che subivano, leggevo nei loro occhi un grande sollievo: sapevano di essere al sicuro e che presto sarebbero tornati liberi.

Quando ebbero spostato tutti i ragazzi dal nostro furgone a una delle barche e averle legate tra loro, Geira disse: «Vado a chiedere a Miller di aiutarmi a portare qui gli ultimi due ragazzi dal furgone di Morgana.

Io mi chinai a dare da bere ai ragazzi rapiti, ma poiché Geira tardava più del necessario a tornare, mi girai e la vidi a fianco del furgone. Morgana parlava e lei annuiva.

Perché ci metteva tanto a tornare?

Decisi di andare a vedere che cosa succedeva: dovevamo portare i ragazzi ad Avalon al più presto!

Quando mi vide arrivare, Geira mi venne incontro.

«Perché ci stai mettendo tanto? Dobbiamo andarcene!»

«Morgana pensa di aver capito che incantesimo usa Mordred per schiavizzare i ragazzi!» mi rispose Geira. «Vuole tenere con sé uno di loro per qualche giorno per studiarlo, poi ce lo consegnerà perché sia curato.»

Io sbottai, indignata. «Geira, non sarai d'accordo con lei, spero? Come si fa a pensare una cosa simile? È un nostro amico, non è un topo da laboratorio!»

Lei abbassò lo sguardo. «Si tratta solo di un paio di giorni, e poi ce lo ridaranno sano e salvo...»

«Non pensi che sia stato troppo a lungo sotto l'influsso di Mordred? Deve essere terribile essere prigionieri nel proprio stesso corpo, come puoi pensare che...»

Morgana si era avvicinata a passi silenziosi, gli occhi verde cupo, come una foresta notturna, puntati su di me.

«So che questa situazione è spiacevole, Angy...» mi interruppe «ma è colpa *tua*. *Tu* non hai voluto prendere la pietra, come mi ha riferito Geira. Ora, se vogliamo provare a sconfiggere Mordred, non abbiamo altra scelta che scoprire l'incantesimo che usa sui ragazzi, e capire come annullarlo...»

«Sei proprio un mostro!» gridai indignata a Morgana.

«Forse hai ragione...» rispose lei gelida, gli occhi due fessure verdastre, «ma fare la scelta nobile, ti ha forse portato a ottenere qualcosa? Non hai fatto altro che provocare un fallimento dietro l'altro, esattamente come Arthur. Hai pensato a cercare l'approvazione degli altri, hai scelto ciò che ti faceva *sembrare* migliore. Sei una totale delusione, Angelica Pendrake!»

Allora, furibonda, l'attaccai. Ma rimasi sconvolta quando la mia spada andò a cozzare contro lo scudo di Geira.

L'ISTANTE IN CUI TUTTO SI DECISE

Appena mi fui ripresa dallo stupore, con una voce che quasi non riconobbi tanto era carica di rabbia, gridai: «Spostati Geira! Subito!»

«Angy, che stai facendo? Morgana è dalla nostra parte...» disse Geira, spiazzata dalla mia reazione.

Spinsi con tutto il mio peso contro il suo scudo ma lei non si spostò di un millimetro.

Allora mi tirai indietro e provai a girarle attorno per raggiungere Morgana, ma Geira era rapida sui piedi e mi si parò nuovamente davanti.

«Ho detto spostati!»

«Ti devi calmare, Angy!»

«Tu lasciami passare, e io mi calmerò! Morgana non

può fare quello che vuole! Usare i ragazzi rapiti per i suoi esperimenti? Non se ne parla neanche!»

Ormai vedevo rosso dalla rabbia.

Sollevai la spada e tentai un fendente, mettendoci tutte le tutte le mie forze e la mia rabbia, ma Geira alzò lo scudo e lo parò senza alcuno sforzo.

Attirati dalla confusione, i miei amici corsero verso di noi, per separarci.

«Ferme, cosa fate?» gridarono, ma le loro voci mi giunsero lontanissime, come se provenissero da un altro pianeta.

Con il senno di poi, posso dire che quello fu l'istante in cui si decisero tutti gli eventi successivi...

Se io avessi ascoltato le loro grida, se miei amici fossero riusciti a raggiungerci, se solo io fossi riuscita a controllare la mia rabbia, le cose sarebbero andate in modo molto diverso... Ma Miller e Amelie corsero a bloccare i miei amici, e gli eventi presero una china incontrollabile.

«Basta, smettetela subito!» gridò ancora Tyra, la disperazione nella voce, ma io ancora una volta non la ascoltai. Non sentivo più niente, solo i battiti impazziti del cuore che mi rimbombavano nelle orecchie.

E purtroppo, la mia rabbia, che prima era diretta unicamente a Morgana ora si stava rivolgendo verso Geira.

«È tutto il giorno che mi metti i bastoni tra le ruote, Geira! Levati di torno!»

Mi buttai di nuovo contro di lei, ma era come combattere contro un muro: i miei colpi rimbalzavano innocui sullo scudo di Lagertha, sollevando scintille.

Lanciai un urlo di furore e frustrazione, e fu allora che, senza che l'avessi evocata di mia volontà, nella mia mano apparve di nuovo l'elsa di Excalibur.

Senza pensare, colpii lo scudo con la lama spezzata, e questo si dissolse in un lampo di luce, sotto lo sguardo sgomento di Geira e dei miei amici.

Un istante dopo, anche Excalibur svanì.

Ora che Geira era disarmata e senza scudo, forse avrei avuto qualche possibilità di sconfiggerla, e mi avventai contro di lei con rinnovato vigore.

La lama della spada che avevo raccolto nel campo di Mordred, fischiava nell'aria, ma Geira schivava ogni mio colpo scartando di lato, agile come una pantera.

Quando menai un colpo di traverso particolarmente feroce, lei rotolò a terra per evitarlo.

Si rialzò a qualche metro da me, e Morgana, con un gesto quasi noncurante e una luce di trionfo negli occhi, le lanciò la spada che Geira aveva portato con sé da oltre il portale. Geira la afferrò al volo e la fece roteare in aria con un gelido sibilo metallico.

Ora nei suoi occhi non c'era più neanche una traccia di indulgenza: era concentrata come un falco sulla preda e mi aspettava con le gambe ben piantate sul terreno come a dire "Fatti avanti!"

E io caricai come una furia.

Le nostre lame cozzarono violentemente, sollevando un bagliore di scintille rosse. Sentii il colpo riverberarsi attraverso tutto il braccio fino alla spalla, facendomi tentennare, ma non mi tirai indietro, e tornai ancora una volta all'attacco.

Geira parò ogni mio colpo con grazia da ballerina, mentre io ero sempre più stanca.

Presto mi trovai a boccheggiare per la fatica, con il sudore che mi colava negli occhi e mi annebbiava la vista.

Presi fiato e con la forza della disperazione provai a menare un ultimo colpo, ma mi costò una tale fatica che mi sembrò di muovermi al rallentatore.

Ero sfinita.

Era proprio l'occasione che Geira, molto più allenata ed esperta nel combattimento di me, stava aspettando.

Approfittando della mia lentezza, scartò di lato, e in un lampo mi fu alle spalle...

Mi resi conto che ero completamente indifesa e in quell'istante, se solo avesse voluto, avrebbe potuto trapassarmi da parte a parte con la spada.

Invece mi arrivò uno scappellotto sulla nuca.

Mi girai, indignata.

«Hai finito?» disse Geira, in tono asciutto.

«Te lo scordi!» risposi e attaccai di nuovo.

Fu solo all'ultimo istante, quando mi trovai a un passo dai suoi occhi gelidi come pezzi di ghiaccio, che mi resi conto che fino a quel momento mi aveva lasciato fare, ma che si era stancata e da quel momento avrebbe fatto sul serio.

La sua mano libera scattò rapida come la testa di un serpente, senza che neanche la vedessi, e mi afferrò il polso che reggeva la spada.

Mi torse il braccio, facendomi mollare la presa, e me lo piegò dietro la schiena.

Per il dolore fui costretta a piegarmi sulle gambe e lei, gentilmente ma con fermezza, mi accompagnò a terra fino a che non mi trovai a faccia in giù sull'erba, con un ginocchio piantato in mezzo alla schiena e la bocca piena di terra, completamente immobilizzata.

Mi ero dimenticata, nella mia furia, che Geira era appena uscita da cinque anni di accademia militare.

Dopo un attimo, Geira mi lasciò andare, e io mi rimisi faticosamente in ginocchio.

Prima che potessi anche solo pensare di riprendermi la spada che mi aveva tolto, Geira si chinò a raccoglierla, e la lanciò verso il lago.

Attraversò l'aria roteando, con un fischio quasi musicale, e affondò nell'acqua con uno spruzzo.

Fece lo stesso anche con la propria spada.

Quando incrociai nuovamente il suo sguardo, lessi sul suo volto una profonda delusione.

Morgana schioccò la lingua con aria annoiata. Poi batté le mani, ironica.

«Bene, bello spettacolo, complimenti. Sono contenta che si sia concluso questo pietoso teatrino. Suppongo che questo significhi che la risposta alla mia richiesta sia "no". Non voglio iniziare una nuova guerra con

Avalon in questo momento critico: quindi non insisterò a prendermi i ragazzi. Ma spero vivamente che l'Alto Consiglio sappia trovare una soluzione alternativa, altrimenti siamo tutti perduti.»

Fece un cenno con il mento a Miller e Amelie, che andarono a prendere i ragazzi dal furgone e li caricarono sulla nostra barca, senza una parola. Intanto, Rob e Tyra corsero verso di me e mi aiutarono a rialzarmi.

Geira se ne stava in disparte a braccia incrociate, a fissare il lago, senza rivolgere lo sguardo verso di noi.

Io iniziavo a calmarmi, anche se avevo ancora il sangue che mi ronzava nelle vene per l'emozione.

Non ero pentita della mia sfuriata, perché ero riuscita a ottenere che Morgana abbandonasse le sue assurde pretese, ma più mi calmavo, più cresceva dentro di me l'orrore per quello che era appena successo.

Che cosa ho combinato? Come ho potuto fare una cosa simile? Ho attaccato Geira... conclusi con le lacrime agli occhi e un nodo alla gola.

Volevo andare da lei, parlarle e chiederle di perdonarmi, se poteva.

Ma quando mi voltai verso di lei, vidi che era scura in volto, completamente chiusa in se stessa...

Forse non è il momento adatto» mi dissi, «*magari dopo, quando saremo sulla barca, o una volta arrivati ad Avalon. Tutto si sistemerà...*

Quando i ragazzi furono tutti al sicuro a bordo, Tyra disse: «Andiamocene da qui, non voglio rimanere un secondo di più in mezzo a queste persone... sono riuscite a metterci gli uni contro gli altri!»

E dopo aver lanciato un'occhiata disgustata a Morgana Miller e Amelie, aggiunse: «Saliamo sulla barca, quando saremo in mezzo al lago Viviana ci aprirà il passaggio.»

«Datemi una mano a spingere la barca in acqua, è parecchio pesante» disse Hal.

Tutti e cinque, Geira compresa, ci mettemmo a spingere, puntando i piedi nel fango, finché la barca si staccò dalla riva.

Hal immediatamente balzò a bordo ed esclamò, tendendoci la mano: «Saltate su, forza!»

Tyra fu la prima a salire. Io e Rob, ormai con l'acqua fino alle ginocchia, fummo costretti ad affrettarci a raggiungere la barca, che iniziava ad allontanarsi sempre più rapidamente verso il largo.

Come fui a bordo, non feci in tempo a tirare un

respiro di sollievo, che sentii Tyra esclamare: «Geira!»

Mi voltai e solo in quel momento mi resi conto che non era salita: era rimasta sulla riva con l'acqua alle caviglie, a guardare la barca che si allontanava.

«Geira, che fai? Sbrigati!» gridò Tyra.

Ma Geira non rispose, e non accennò a muoversi.

Una nebbia sottile iniziava ad alzarsi dal lago, addensandosi tutto attorno a noi.

Tyra per un attimo rimase in silenzio, a bocca aperta. Poi vidi il suo volto cambiare radicalmente espressione, come se avesse capito che qualcosa non andava...

«Geira!» gridò, a pieni polmoni, e si lanciò in avanti come se volesse buttarsi fuori dalla barca.

Hal però fu più veloce di lei, e la fermò stringendole un braccio attorno alla vita. Tyra cercò di liberarsi dalla sua presa, gridando: «Geira! Geira!»

Man mano che la barca si allontanava verso il centro del lago, la nebbia si faceva sempre più fitta attorno a noi, e la sagoma di Geira sulla riva diventava sempre più piccola e sfocata davanti al mio sguardo sgomento.

La vidi girarsi, camminare verso il furgone di Morgana, e aprire la portiera. Morgana salì a bordo, e Geira la seguì, chiudendosi la porta alle spalle.

La nebbia si infittì davanti a noi come un muro bianco e tra noi calò un silenzio terribile, soffocante, vuoto.

Ritorno ad Avalon

Oltre il velo di nebbia ovattata e candida, a poco a poco ci apparve il paesaggio calmo dell'oceano magico e, in lontananza, l'isola di Avalon.

Il silenzio tra noi si fece sempre più pesante e carico di tensione. Mi faceva male, quel silenzio, come un dolore sordo in fondo al petto, per il ricordo di tutte le volte che, invece, noi cinque eravamo approdati all'Accademia insieme, tra gli scherzi e le risate.

Morgana aveva tramato, manipolato, seminato discordia. Era riuscita davvero a rovinare la nostra amicizia? Solo a pensarci mi pareva che mi mancasse il terreno sotto i piedi.

Tyra, finalmente ruppe quel silenzio malato, si coprì il volto con le mani e scoppiò in un pianto dirotto.

Hal le mise un braccio attorno alle spalle, in un goffo e inutile tentativo di consolarla. Rob invece cercava disperatamente di incrociare i nostri sguardi, in cerca di spiegazioni che nessuno di noi era in grado di dargli.

«Ma... non capisco... perché Geira è rimasta con Morgana?

«Non avrei mai dovuto attaccarla...» mormorai cupa. «Se n'è andata per causa mia: ho rovinato tutto!»

Hal scosse la testa. «Non è così, Angy, fidati. Geira può sembrare una testa calda, ma non è impulsiva nelle decisioni che prende. Se ha fatto quello che ha fatto è perché ci pensava da un po'...»

Tyra si asciugò rabbiosamente le lacrime con la manica. «Sono io l'unica che deve rimproverarsi qualcosa, qui. Per tutto questo tempo ho pensato solo a me stessa.»

«Ma no, cosa dici? Non mi pare proprio!» esclamai io «Sei stata generosa, l'hai accolta in casa e sostenuta...»

«Per tutto questo tempo, io pensavo che Morgana volesse manipolare *me*, convincere *me* a passare dalla sua parte! Non mi sono accorta che invece era Geira quella in pericolo, che si è fatta convincere dalle sue parole mielose. Geira stava male per la faccenda dei suoi genitori, aveva bisogno di sicurezza e questo ha fatto di lei la vittima ideale. E io non solo non sono riuscita a sostenerla come avrei dovuto, ma mi sono anche sfogata su di lei, l'ho allontanata...

Hal mormorò: «Non so, forse ti sbagli. Portare Geira dalla sua parte poteva essere il suo obbiettivo fin dall'inizio... Magari ha fatto solo finta di voler manipolare te! È la regina degli inganni! Non vi siete accorti che è colpa sua se abbiamo litigato tra noi? Ha seminato disaccordo, soffiato sul fuoco, giocato con i nostri sentimenti, aiutata da quelle due serpi di Miller e Amelie...»

Nessuno disse nulla perché ci rendevamo conto che le cose erano davvero andate così: eravamo stati ingenui, ma Morgana era riuscita nel suo intento solo perché ciascuno di noi aveva pensato più a se stesso che agli altri.

Restammo in silenzio, ma questo silenzio era diverso: era malinconico, ma anche dolce, e in qualche modo ci faceva sentire più uniti, proprio per le nostre debolezze.

Avevamo sbagliato, tutti.

Il rumore dei sassi e della sabbia sotto la chiglia ci riscosse dai nostri pensieri: eravamo arrivati ad Avalon.

Un po' malfermi sulle gambe per la stanchezza e l'emozione, scendemmo sulla spiaggia, dove ci aspettavano Merlino e Viviana, assieme a Parsifal e Galahad. Poco distante era in attesa un gruppo di thrall.

«Dunque? Com'è andata? Cos'è successo?» chiese Merlino, con la preoccupazione dipinta sul viso. «Non è stato possibile seguire i vostri ultimi movimenti, siete spariti tutti insieme dalle mappe. Confesso che abbiamo temuto il peggio: pensavamo di avervi persi per sempre! Ovviamente, sappiamo già della scelta discutibile fatta della signorina Dahlstrom, e ne siamo profondamente addolorati, come voi del resto... »

Eccetto Tyra, che rimase in silenzio tutto il tempo, noi rispondemmo tutti insieme, accavallandoci e interrompendoci l'un l'altro per l'agitazione.

«Abbiamo trovato la base di Mordred!»

«Era in un posto simile alla Soglia!»

«Nascosta da un portale oscuro!»

«Abbiamo trovato la Pietra Nera... »

«Già, ma non siamo riusciti a prenderla!»

«Anche perché non eravamo d'accordo se prendere la pietra o salvare i ragazzi...»

«Angy, voleva una cosa, Geira l'altra!»

«Mi dispiace, ci siamo scontrate, l'ho attaccata, non avrei dovuto, ma...

«Eh, poi Mordred ci ha attaccato con dei mostri d'ombra!

«È stato terribile...

«Mai visto niente di più spaventoso, lo giuro!

«Era impossibile sconfiggerli, purtroppo...»

Merlino ci interruppe: «Piano, piano, giovani eredi. Non tutti insieme! Ho capito il succo. Ci racconterete tutto nel dettaglio più tardi, ora dobbiamo occuparci dei ragazzi che avete così coraggiosamente salvato.»

Schioccò le dita verso i thrall, che si avvicinarono sferragliando alla barca, si caricarono i ragazzi sulle spalle e iniziarono a trasportarli su per la scalinata di pietra che portava al castello.

«Riuscirete ad aiutarli, vero?» chiesi io, preoccupata.

Viviana si girò verso di me.

«Percepisco che ciò che li intrappola è una magia molto malvagia, ma dovremmo riuscire a scioglierla. Merlino e io lanceremo tutti i controincantesimi che conosciamo, nella speranza che uno di questi funzioni...»

Poi con un lieve cenno del capo mi fece capire che per il momento non aveva altro da aggiungere e insieme a Merlino si avviò, lenta e solenne, su per la scalinata.

Parsifal si rivolse a noi, e la sua voce calma e autorevole ebbe l'effetto di tranquillizzarci tutti: «Voi verrete con me e Galahad. Avete bisogno di rifocillarvi e di riposare. E dopo, quando sarete pronti, ci racconterete nel dettaglio tutto quello che è successo...»

Una grande stanchezza calò di colpo su di noi, come un mantello di piombo, tanto che le scale per il castello ci parvero interminabili.

Galahad e Parsifal ci condussero alla biblioteca principale, dove nel grande camino era già stato acceso il fuoco. L'atmosfera calda e accogliente ci accolse come un abbraccio e finalmente ci sentimmo al sicuro, dopo tanta fatica e sofferenza...

Tirammo tutte le poltroncine attorno al camino, e con una coperta sulle spalle e una tazza di tisana calda in mano, ci accoccolammo in silenzio, a guardare le fiamme.

«Allora, raccontateci di cosa avete visto nella base di Mordred» disse Parsifal, quando finalmente ci vide più calmi.

Io non avevo molta voglia di parlare e Tyra non aveva ancora aperto bocca da quando avevamo messo piede sulla spiaggia. Così furono Hal e Rob a raccontare per filo e per segno le nostre disavventure all'interno del portale oscuro.

Quando descrissero l'enorme cavaliere con l'insegna del cigno, Parsifal e Galahad si scambiarono una lunga occhiata a metà tra lo stupefatto e l'allarmato.

«Che c'è, lo conoscete?» disse Rob in tono scherzoso, ma quando si girarono a guardarci capii dai loro occhi che era proprio così.

«Quello che avete descritto non può essere altri che Lancillotto...» mormorò Galahad.

Io ero talmente stupefatta che ritrovai le parole: «Ma... un Lancillotto qualsiasi o proprio Lancillotto-Lancillotto?»

«In tutti i miei anni ad Avalon non vi ho mai sentiti parlare di lui» disse Hal.

Parsifal annuì, greve. «Noi amavamo Lancillotto come un fratello, era il migliore di tutti noi... ma ha tradito il nostro re, intrattenendo una storia d'amore segreta con sua moglie Ginevra.»

«Una storia d'amore molto famosa» commentai.

«Ma che ha creato profonde divisioni nei Cavalieri della Tavola Rotonda» disse Galahad scuotendo la testa.

«E Lancillotto non fu immune dai sensi di colpa» proseguì Parsifal. «Infatti ci giunse voce che dopo la battaglia di Camlann e la sparizione di Artù, Lancillotto partì alla sua ricerca, forse per rimediare al proprio tradimento.»

«Tuttavia, a un certo punto Lancillotto scomparve e non si seppe più nulla di lui» aggiunse Galahad. «Fino a oggi avevo sempre pensato che avesse abbandonato la ricerca e avesse trascorso il resto della sua vita mortale assieme alla sua amata. Ma se quanto dite è vero...»

«Possibile che sia passato dalla parte di Mordred?» domandò Rob. «Avrà pure fatto il furbetto con Ginevra, ma tutti raccontano di quanto fosse nobile e leale.»

Io mi passai una mano sul mento, pensierosa. «Magari è vittima dello stesso incantesimo che tiene prigionieri i ragazzi rapiti da Mordred.»

Proprio in quel momento le porte della biblioteca si spalancarono e i ragazzi che avevamo salvato entrarono nella stanza, sani, salvi e sorridenti, anche se un po' pallidi e molto magri, con una coperta appoggiata sulle spalle.

Io corsi immediatamente ad abbracciare Namid, imitata da Rob. Hal, che era l'unico di noi a conoscerli tutti, passò dall'uno all'altro e per ciascuno di loro aveva una battuta, una pacca sulle spalle, un abbraccio.

Tyra invece se ne rimase seduta a fissare le fiamme, stringendosi le ginocchia con le braccia, con un'espressione indecifrabile sul volto.

Per ultimi entrarono nella stanza Merlino e Viviana, ma invece di sedersi con noi attorno al fuoco, rimasero in piedi, a osservare la scena con un sorriso indulgente.

«Siete riusciti a curare i ragazzi! Ma è fantastico, allora avete scoperto cosa li teneva prigionieri!» esclamai io.

Merlino scosse la testa, accarezzandosi la barba. «In verità, no. Abbiamo tentato tutti i controincantesimi più potenti che conoscevamo, e fortunatamente siamo riusciti a scacciare l'influenza malvagia che li controllava. Purtroppo non siamo riusciti a capire cosa fosse, né di conseguenza come contrastarla ed evitare che venga usata ancora. Non mi era mai capitato di imbattermi in un incantesimo così oscuro e potente... tutti quelli di cui avevo sentito parlare finora, erano in grado di soggiogare le vittime solo per un breve periodo.»

Hal si girò verso i ragazzi: «Voi cosa ne sapete? Per caso avete notato qualcosa? Diteci tutto, anche se pensate sia insignificante, magari potrà servire ad aiutare gli altri prigionieri di Mordred!

Namid si passò una mano tra i capelli neri. «Non so dirvi molto. Quando Mordred ci controllava, eravamo incoscienti, quindi non sappiamo per quale scopo ci usasse, né dove ci mandasse. Quando invece eravamo coscienti, non solo eravamo immobili, ma anche annebbiati, come se stessimo sognando. Ricordo che vedevo ogni tanto dei ragazzi tornare nell'accampamento con dei materiali da costruzione, oggetti elettronici, armi. A volte portavano con loro anche qualche ragazzo rapito, che veniva trascinato nella capanna di Mordred, per poi uscirne in preda del nostro stesso incantesimo. Ma questo è tutto ciò che posso dirvi.»

Un altro ragazzo aggiunse: «Era difficile scandire il tempo laggiù, perché non sentivamo mai fame, sete, o sonno... era come essere sospesi nel tempo.»

«Forse perché vi trovavate nella Soglia» disse Viviana. «Sospetto che il portale usato da Mordred funzioni un po' come quello di Eea, che è fuori dal mio controllo perché era già aperto quando ho creato le porte di Avalon.»

«Non sappiamo cosa sia, ma siamo contenti di esserne fuori!» disse uno dei ragazzi, con una risatina nervosa.

Merlino intervenne, le sopracciglia aggrottate: «Sono profondamente dispiaciuto per le vostre sofferenze, e mi scuso con tutto il cuore a nome dell'Alto Consiglio dei Leggendari. Avremmo dovuto proteggervi meglio anche nel mondo reale, dove si annidava il vero pericolo...»

«Anche io devo scusarmi con tutti voi. Se non siamo riusciti a prendere la Pietra Nera è solo colpa mia...» mormorai imbarazzata, guardandomi i piedi.

«Non c'è bisogno che si scusi Madamigella Pendrake, ha fatto la cosa giusta!» disse Merlino.

«Certo che ha fatto la cosa giusta!» ripeté Namid. «Era terribile essere intrappolati nel proprio corpo, credo che se fosse andata avanti ancora a lungo avrei perso la ragione. Perciò, appena ci saremo ripresi, torneremo là e saremo pronti a combattere: porteremo via tutti i ragazzi da quel posto orrendo. E tutti insieme toglieremo la Pietra Nera a Mordred!»

Alle parole di Namid seguì una specie di ovazione. Tutti parlavano emozionati con tutti, carichi e pieni di ottimismo, e per un attimo sembrò che sconfiggere Mordred sarebbe stato facile.

Noi, che avevamo affrontato i guerrieri d'ombra, sapevamo bene che non era così, ma ci guardammo bene dallo spegnere il loro ottimismo e la loro gioia.

Ci sarebbe stato tempo, dopo, per affrontare la realtà...

Merlino annunciò, battendo le mani: «Mi pare il momento adatto per un piccolo rinfresco, ve lo siete meritato!»

Subito, nella biblioteca cominciarono entrare un thrall dopo l'altro, che portavano con sé vassoi su vassoi di dolcetti, biscotti, cioccolata calda, tè...

Notai con un sorriso che per una volta non si trattava di menù 'locale' a base di mele: Merlino doveva aver dato fondo alle sue scorte segrete provenienti dalle altre isole magiche! Cacao pregiato, dolcissima uvetta sultanina, vaniglia, cannella, scorze di agrumi candite, panna, tè profumato al gelsomino... erano tutti articoli esotici che ad Avalon non si trovavano mai!

I thrall, compassati e professionali come camerieri di Grand Hotel, distribuirono queste prelibatezze fra tutti i presenti e tutti le accettarono con un sorriso e con gratitudine, contenti di potersi ristorare dopo la brutta avventura.

Io però non ero dell'umore per partecipare a quella festa: mi sentivo troppo triste e in colpa.

Così, approfittando della confusione mi alzai e mi allontanai senza che nessuno se ne accorgesse: avevo bisogno di fare un giro per schiarirmi le idee.

Mi ritrovai a passeggiare lungo le mura del castello. Avalon, di solito piena di vita e di confusione per le voci e le risate dei tanti eredi che frequentavano l'Accademia, era stranamente deserta.

Sperai che i ragazzi stessero bene e che Mordred non avesse rapito nessun altro mentre noi eravamo impegnati a rincorrerlo.

Il cielo era grigio e i gabbiani lanciavano le loro strida insistenti, simili a folli risate o al pianto di neonati. Il vento si infiltrava tra le insenature e gli scogli e sembrava quasi il suono lamentoso di un flauto.

Ogni sensazione, ogni rumore, ogni dettaglio del paesaggio, mi pareva lucido, vivido e meraviglioso, come se il mondo, dopo che avevo rischiato di morire, fosse ancora più bello e prezioso.

Ero completamente assorta in queste sensazioni e nel gustarmi quell'istante così intenso, quando dietro di me qualcuno tossicchiò.

Era Merlino.

«Tutto bene madamigella Pendrake? Ho notato che si è allontanata senza assaggiare neanche un pasticcino: non è da lei!»

«Mi spiace, non mi sentivo in vena di festeggiare. Non penso di meritarmelo...»

«Sciocchezze! Avete fatto un ottimo lavoro, avete scoperto la base di Mordred, avete salvato dei ragazzi...»

«Però non siamo riusciti a capire quale incantesimo li teneva imprigionati. Forse Morgana aveva ragione, avrei dovuto recuperare la Pietra Nera, o per lo meno lasciarle la possibilità di studiare l'incantesimo...»

«Assolutamente no, ha fatto bene! Sarebbe stato inumano lasciare che quei ragazzi restassero intrappolati anche solo un'ora di più, figuriamoci un giorno intero. Ha fatto la scelta giusta, quella che avrei fatto anche io. Troveremo un'altra soluzione per studiare la magia di Mordred.»

Io tirai un grande sospiro. «Sarà così... Però, non sono riuscita a controllare gli aspetti negativi della mia eredità, mi sono lasciata trascinare dalla rabbia e per causa mia non abbiamo preso la Pietra Nera! E non solo, sono arrivata al punto di incrociare la mia spada con Geira. Ho attaccato un'amica! L'ho allontanata da noi con i miei stupidi scatti d'ira...»

«Superare i propri difetti è un viaggio che dura tutta la vita, Angy. Bisogna trasformarli in risorse più che cancellarli del tutto» disse Merlino strizzandomi l'occhio. «In quanto a Geira, temo che siamo tutti colpevoli e tutti innocenti allo stesso tempo. Ma sento che neanche il suo viaggio è ancora terminato. Chissà, magari la porterà a tornare da noi.»

Io sospirai. «Lo spero...»

«Madamigella Pendrake, devo scusarmi anche con lei, siamo stati costretti a mettere lei e i suoi amici in una situazione difficilissima. Nonostante questo, vi siete comportati egregiamente e avete fatto del vostro meglio. Sono fiero di lei tanto quanto ero fiero di Artù. Voglio ringraziarla per tutto quello che ha fatto...»

Sentii che stavo per scoppiare a piangere, così, per evitare di farmi vedere in lacrime, feci una cosa che in un altro momento non avrei mai fatto... corsi ad abbracciare Merlino, nascondendo la faccia nella sua tunica grigia.

Lui tossicchiò impacciato, ma poi sentii che mi appoggiava la mano sulla spalla, rassicurante, un po' come un nonno.

«Non abbia timore Angy, la guerra contro Mordred è solo iniziata, e abbiamo tutti i mezzi per vincerla. E non siamo soli: tutti i Leggendari dell'Alto Consiglio e tutti gli abitanti delle isole del mondo magico sono dalla nostra parte e pronti ad aiutarci. Ce la faremo...»

Per la prima volta da quando ero uscita dalla base di Mordred, sentii tornare la speranza.

Sì, ne ero sicura: non sapevo ancora come, ma ce l'avremmo fatta.

TUTTO TRANQUILLO, O QUASI...

Dopo una buona notte di sonno, l'Alto Consiglio decise che era opportuno rispedirci subito tutti a casa. Così, la mattina successiva, dopo una colazione tipica di Avalon a base di mele, succo di mele, macedonia di mele, soufflé di mele e crostata di mele, salimmo tutti sulle barchette che ci avrebbero riportato a casa.

Prima di essere avvolta dalla nebbia, notai che Viviana era sulla scogliera a osservarci partire, con la veste argentata mossa dal vento e le braccia stese verso il lago.

Quasi mi aspettavo che saremmo tutti tornati nella realtà esattamente da dove eravamo partiti, dallo stesso lago inglese sulle cui rive avevo combattuto con Geira...

E invece no, mi ritrovai al lago di Central Park!

Ecco cosa stava facendo Viviana: sorvegliava il nostro ritorno, smistandoci ciascuno al posto giusto!

Me ne tornai a casa in metrò, il che sul momento mi sembrò veramente assurdo: avevo appena vissuto un'avventura incredibile, tra la realtà e il mondo magico, avevo attraversato mezzo mondo sulle tracce di una pietra dall'enorme potere, avevo esplorato grotte sotto i ghiacci, rischiato la vita in duelli magici a bordo di un elicottero tra le nevi dell'Himalaya, lottato contro Mordred e le sue ombre... Insomma, quasi quasi mi sarebbe sembrato più normale tornare a casa in sella a un cavallo bianco che in un vagone scalcinato, di fianco a un signore che leggeva il giornale e a una vecchietta addormentata con in braccio il suo cagnolino!

Ma in realtà ero contenta, perché voleva dire che ero a casa, che tutto era tornato alla normalità, almeno per un po'...

Quando entrai nell'androne venni fermata dalla signora Luisa, la mia portinaia.

Stranamente fu molto più gentile del solito: probabilmente i miei le avevano parlato del mio stage alla Lefay.

E infatti lei, con un lampo di ammirazione in fondo agli occhi, mi disse: «Signorina, bentornata! Sono appena arrivati due signori elegantissimi, in completo scuro, su un'auto di lusso... hanno detto che erano i suoi colleghi. Caspita, però, che classe! Ah, hanno lasciato qui i suoi bagagli! Ma mi dica, mi dica, come è andato il suo viaggio?

Io la ringraziai e la sbolognai con la scusa del jet-lag: avrebbe dovuto aspettare ancora un po' per avere qualcosa su cui spettegolare!

Trascinai i bagagli in casa e chiusi la porta.

Non so perché, ma il fatto che Morgana mi avesse fatto recapitare le mie cose mi sembrò un'intrusione e mi fece innervosire: avrei preferito non avere più niente a che fare con lei. Anche se in realtà sapevo che, prima o poi, nel corso della guerra contro Mordred ci saremmo incontrate di nuovo. Che mi piacesse o no, per ora era ancora in corso un'alleanza tra Avalon e Morgana...

Casa mia era vuota, così decisi di invitare i miei amici Maggie e Nate e passai il pomeriggio a giocare ai videogiochi e a mangiare pizza, gelato, e malsane combinazioni di entrambi.

Quando se ne andarono, era ormai sera e mi trovai

da sola a riflettere, spaparanzata sul divano.

Pensai ai miei amici: a Geira che ci aveva traditi, a Tyra che sicuramente soffriva più di tutti in questo momento, ad Hal che si era rivelato solido e affidabile, più di quanto avrei mai immaginato. E Rob, il mio migliore amico, sempre accanto a me, sempre pronto ad aiutarmi, con i suoi modi gentili e scanzonati... come sarebbero andate le cose tra noi, ora che sapevo dei suoi sentimenti?

Decisi che per me la cosa più importante era la sua amicizia, e che per niente al mondo avrei voluto perderla. Avrei cercato di conservarla a tutti i costi, e poi, chissà...

Ripensai all'avventura che avevamo vissuto, agli errori che avevo fatto. Mi ero scontrata con i lati più bui di me stessa e della mia eredità: era stato terribile, ma ora che li conoscevo non provavo più la stessa paura e la stessa rabbia. Forse ero cresciuta, almeno un po'.

Sarà stato perché mi sentivo completamente esausta, ma in quel momento avevo un'inconsueta chiarezza mentale.

Sapevo qual era il mio obiettivo: fermare Mordred e portare in salvo tutti i ragazzi suoi prigionieri.

E sapevo che avrei fatto qualsiasi cosa per ottenerlo.

Mentre pensavo queste cose, avvertii uno strano movimento appena fuori del mio campo visivo, come se dietro di me ci fosse qualcuno, o si fosse mosso qualcosa...

Mi voltai allarmata, ma non vidi nessuno.

Dovevo essermi immaginata tutto.

Mi alzai, e la luce del tramonto che filtrava dalla finestra proiettò la mia ombra sul muro bianco di fronte a me. Per un attimo mi sembrò di vedere un'altra ombra di fianco alla mia...

Mi sfregai gli occhi. Era sparita.

Di sicuro mi sono immaginata tutto... Del resto, dopo tutto quello che ho visto e vissuto in questi giorni, il minimo che possa succedermi è avere le allucinazioni! pensai come per rassicurarmi.

In quel momento sentii la chiave della porta di casa girare nella serratura, e i miei genitori entrarono nell'appartamento. Con loro grande sorpresa, corsi immediatamente ad abbracciarli.

«Angy che ci fai qui? Pensavamo che fossi dall'altra parte del mondo!»

Io sentii che stavo per commuovermi, ma tirai su

con il naso per bloccare le lacrime. «Non... non mi sono trovata tanto bene a fare lo stage alla Lefay Enterprises. Non ci voglio andare mai più. Morgana, ehm, voglio dire, Morgaine Lefay, è proprio una persona fredda e crudele, che pensa solo a sé stessa...»

I miei genitori ricambiarono il mio abbraccio. «Oh tesoro non devi andarci mai più se non vuoi! Noi desideriamo solo che tu sia felice e che stia bene.»

«Mi dispiace tanto per quello che vi ho fatto passare. Mi sono comportata da irresponsabile, ma ero molto stressata, è stato un periodo difficile. Prometto di fare meglio d'ora in avanti.»

«Anche noi avremmo potuto fare meglio e essere più presenti e attenti...» disse mio padre «su questo non ci sono dubbi. Abbiamo pensato troppo al lavoro e perso di vista la cosa che conta di più per noi, cioè tu!»

«Tuo padre e io abbiamo parlato e abbiamo deciso che è meglio fare tabula rasa e ripartire da zero. Annulliamo la punizione, ma dobbiamo impegnarci tutti a parlare di più e a comunicare meglio, d'accordo?»

A queste parole seguì un grande abbraccio a tre, e una cena cinese d'asporto, consumata tutti insieme in salotto, come non succedeva da troppo tempo, in cui tra un involtino primavera e un raviolo al vapore, li aggiornai come potevo con i dettagli della mia avventura alla Lefay.

Certo, tecnicamente erano ancora bugie, ma li amavo troppo per farli preoccupare raccontando loro tutta la verità, che oltretutto avevo giurato di non rivelare. Insomma, diciamo che feci quello che potevo per essere il più sincera possibile!

A fine serata, piena fino agli occhi di nuvole di drago, ravioli di gamberi e spaghetti di soia con verdure (i miei preferiti) e rasserenata dall'affetto dei miei genitori, andai in camera mia.

Aprii la finestra e mi misi a guardare il profilo dei grattacieli di New York al crepuscolo. Era un momento magico, con il cielo blu cobalto, le finestre illuminate, le insegne, i lampioni accesi...

In quel momento capii che non ero sola.

Avevo dei genitori che mi amavano e degli amici fantastici, sia ad Avalon che nel mondo reale: finché avevo loro a sostenermi, avrei potuto affrontare qualsiasi avversario.

Riflessa contro il vetro della finestra aperta, vedevo la mia ombra, proiettata dai lampioni sul muro bianco dietro di me: era talmente lunga da coprire tutta la parete alle mie spalle e sfiorare quasi il soffitto.

E allora lo vidi chiaramente...

La mia ombra era doppia. Come se ci fosse qualcuno in piedi di fianco a me.

Mi girai a fronteggiare le due ombre.

Una di esse sembrò crescere e incurvarsi sempre di più come se volesse inglobarmi dentro di sé.

Le sue braccia si allungarono a dismisura e le sue mani si protesero verso di me come artigli pronti a ghermirmi.

Stranamente, non provai paura.

O meglio, al di sotto e aldilà della paura, sentii sorgere e crescere dentro di me una forza e una determinazione che non pensavo di avere e vi attinsi a piene mani.

Mi ricordai la sensazione di coraggio e autorità che mi dava stringere l'impugnatura di Excalibur nella mano, e desiderai averla con me, la chiamai con tutte le mie forze... Ed Excalibur, per la prima volta, rispose alla mia chiamata. Apparve, l'impugnatura solida e affidabile nella mia mano, la lama spezzata, ma scintillante di luce.

Scattai in avanti e piantai la spada nel petto dell'ombra. Con uno strillo acuto e uno sfrigolio raccapricciante, l'ombra sembrò accartocciarsi sotto la lama di Excalibur, e si dissolse come fumo al vento.

Con un respiro profondo feci un passo indietro: sul muro era rimasta solo la mia ombra, con la spada spezzata in pugno.

E allora, per la prima volta, mi resi finalmente conto che qualsiasi sfida si fosse presentata nella mia vita, sarei stata pronta ad affrontarla.

Ringraziamenti

Se anche questa nuova avventura è stata trasformata in libro, lo devo soprattutto a Myrddin che, molti anni dopo le vicende narrate, ha insistito perché lo scrivessi, a vantaggio di tutti i futuri Leggendari.
Lo ringrazio tanto, perché scrivere questo libro mi ha aiutato a fare ordine dentro di me.
Ringrazio Rob, sempre presente con il suo sostegno e la sua incrollabile amicizia; Tyra che non ha smesso un solo istante di spronarmi; Maggie e Nate, con le loro provvidenziali scorte di gelato. Ringrazio i miei genitori, che si chiedono come faccia ad avere tanta fantasia...
E infine, grazie a Manlio Francia e al team di editor, redattori e grafici di Storybox e di Edicart Style che hanno curato questa edizione.

Angy Pendrake

GLOSSARIO

Amazzoni
Mitiche donne guerriere, note per la loro straordinaria abilità nel combattimento a cavallo e nel tiro con l'arco. Erano governate da due regine, la regina della guerra e quella della pace: le più famose furono Mirina, Ippolita e Pentesilea.

Ambrosia
Nota anche come il "nettare degli dèi", l'ambrosia è menzionata nei poemi epici come il cibo, o anche la bevanda, che rende immortali ed è capace di curare e purificare uomini e divinità grazie ai suoi grandi poteri terapeutici. È spesso raffigurata come un liquido denso e di colore ambrato simile al miele.

Antinea
Sovrana di Atlantide, che sembra si divertisse a fare innamorare, e poi far morire, i giovani uomini che giungevano da paesi lontani. La considerava una sorta di vendetta contro quei conquistatori che seducevano e poi abbandonavano le regine nel suo regno.

Atlantide
Un'isola leggendaria oltre le Colonne d'Ercole. I suoi abitanti, gli Atlanti, si dice fossero figli di Poseidone, dio del mare. L'isola fu poi inghiottita da un maremoto, forse causato proprio da Poseidone. Sparì dalla faccia della Terra, ma diede il nome all'Oceano Atlantico.

Arjuna
Eroe protagonista di un famoso poema epico indiano, il Mahabharata, fu un uomo onesto e corretto, oltre che abilissimo nell'uso delle armi, tanto da essere considerato il migliore arciere del suo tempo. Dopo un aspro combattimento, si meritò la considerazione e il rispetto del dio Siva, che gli consegnò il suo temibile e potentissimo arco, Gandhiva, e gli insegnò pure a usarlo.

Arthur Pendragon
Meglio noto come re Artù, fu un sovrano bretone, che diede vita a molte leggende della Gran Bretagna, dove viene descritto come un monarca

leale, difensore della giustizia, sia in guerra sia in tempo di pace. Figlio di Uther Pendragon e di Igraine (nome gallese Eigyr), fu affidato a Merlino fin da piccolo e fu proprio quest'ultimo a profetizzare che chi avesse estratto la spada dalla roccia sarebbe diventato re. La sua corte si trovava in una fortezza chiamata Camelot.

Avalon
Isola leggendaria situata a occidente delle isole britanniche, fa parte del ciclo letterario del mito di re Artù. Per alcuni significa "isola delle mele", perché era una terra fertile e questi frutti vi crescevano in abbondanza. Le leggende raccontano che qui venne forgiata Excalibur e che sempre qui sia stato sepolto Artù, trasportato su quest'isola da Morgana su una barca.

Camlann
È una località leggendaria in cui sarebbe avvenuta l'ultima, epica battaglia fra gli eserciti di re Artù e quelli di Mordred. In molti racconti, si narra che l'inizio della battaglia sia stato causato da un cavaliere che sguainò una spada per uccidere un serpente (ma, in tempi di pace, sguainare una spada voleva dire non rispettare la tregua). Qui, in questo luogo, trovò la morte re Artù.

Circe
Maga fra le più abili e astute di tutti i tempi, Circe abita sull'Isola di Eea, in un palazzo circondato da un bosco inviolabile e popolato da numerose bestie selvatiche. Figlia di Helios e della ninfa Perseide, abilissima in ogni sortilegio, amava in modo particolare trasmutare gli uomini in animali attraverso l'uso filtri incantati di sua invenzione, proprio come accadrà all'equipaggio del grande eroe acheo Ulisse.

Eea
È l'isola abitata dalla potente maga Circe. Qui vi approda Ulisse assieme ai suoi uomini, subito dopo essere scappati dalla furia del gigante Polifemo. L'isola, che sembra disabitata, è fitta di vegetazione e animali selvatici che circondano l'antico palazzo in cui dimora la maga.

Ey de Net
Il regno dei Fanes era ricco e si espanse fino a che si trovò a dover combattere Ey de Net, abile guerriero. Ma tutto cambiò quando, sul campo di battaglia, scoppiò l'amore tra lui e Dolasilla, la figlia dei sovrani del regno dei Fanes, che usava frecce che mai mancavano il bersaglio. Il padre, contrario alle nozze, vendette le figlia, gli abitanti del regno furono sbaragliati e Dolasilla morì. I pochi che sopravvissero si chiusero in una caverna con le marmotte, un tempo alleate del regno, e da allora aspettano che una tromba argentata li risvegli.

Europa
Ragazza bellissima, figlia di Agenore, re dei fenici. Zeus rimase così colpito dalla sua bellezza, che la av-

vicinò su una spiaggia sotto forma di un toro bianco, splendido e pacifico, tanto che Europa andò a sederglisi sul dorso. Fu allora che l'animale la portò, attraversando il mare, fino a Creta. Qui il dio la diede in sposa al re di Creta, Asterio. Il dio greco regalò a Europa, oltre a Talos, anche un cane addestrato e un giavellotto, che centrava sempre il bersaglio.

Excalibur
Artù divenne re estraendo la spada da una roccia. Malgrado sia identificata con la spada nella roccia, in alcune opere antiche venivano menzionate due spade differenti. Excalibur potrebbe essere stata offerta ad Artù da Viviana, la Dama del Lago, dopo che la prima si era rotta. Tradotto dal latino, Excalibur, "ex calibro" rimanderebbe al "perfetto equilibrio". La spada, infatti, doveva essere il simbolo dell'armonia e della pace. Non era stata forgiata, infatti, come spada da combattimento.

Galahad
Sir Galahad è uno dei cavalieri della Tavola Rotonda. Figlio di Lancillotto, uomo noto per la sua nobiltà d'animo e integrità, fu uno dei tre cavalieri che, si dice, trovarono il Santo Graal.

Ginevra
Elegante e bellissima, affascinò letteralmente Arthur Pendragon, che la sposò, mentre invece lei era segretamente innamorata di Lancillotto.

Idra
Mostruoso serpente a più teste, che ricrescevano quando venivano tagliate. Viveva nella palude di Lerna, seminando paura e distruzione. Ercole la uccise e intinse le frecce nel suo sangue, che era velenoso. Così, chi veniva colpito dai suoi dardi, non sopravviveva.

Ipazia
È stata una fra le più grandi studiose di epoca greca, e una delle prime a confrontarsi con gli uomini del suo tempo. Nata ad Alessandria d'Egitto fra la fine del IV secolo e l'inizio del V secolo d. C., divenne un'importantissima astronoma, matematica e filosofa: una fra le più rispettate e invidiate del suo tempo. Fu fra i rappresentanti di punta del movimento dei neo-platonici e fu uccisa da una folla di cristiani in tumulto.

Ippolita
Regina delle Amazzoni a cui Ares, dio della guerra, donò una cintura d'oro che la rese fortissima. Ercole, però, la fece prigioniera, strappandole la cintura. Fu tale la lotta tra i due che fu considerata una delle "fatiche di Ercole".

Lagertha
Quando il re di Svezia Frø invase la Norvegia, non solo uccise il suo re, Siward, ma riservò un pessimo trattamento alle donne del regno. Anni dopo, un discendente di Siward, Ragnar Lodbrok, intenzionato a vendicare il nonno, ra-

dunò un esercito composto anche da donne che, travestite da uomini, si fecero avanti per combattere. A capo di queste ribelli c'era la bella Lagertha, fiera e indomabile, e Ragnar se ne innamorò perdutamente. Lei, tuttavia, prima di accettare di sposarlo, volle misurare la sua audacia, costringendolo a superare non poche prove di forza e coraggio.

Lancillotto
Fu fra i più valorosi cavalieri a servizio di re Artù. Lancillotto era figlio di re Ban di Benioc e della regina Elena ma, ancora bambino, si narra che fu rapito dalla misteriosa Dama del Lago che lo condusse nel suo regno, dove fu istruito alle arti della cavalleria. In seguito, divenuto adulto, chiese e ottenne di abbandonare quel luogo per recarsi alla corte di re Artù per essere nominato cavaliere. Diventerà negli anni uno dei più valorosi cavalieri al servizio del re, segretamente innamorato della regina Ginevra.

Merlino o Myrddin
Figura centrale del ciclo bretone di re Artù. Allevò e istruì Artù fino a portarlo al trono.

Mordred
Combatté e tradì re Artù nella battaglia di Camlann. Alcuni dicono che fosse il nipote di re Artù, figlio della sorella Anna e del marito, Lot del Lothian.

Morgana
Fata Morgana, conosciuta anche come Morgaine, fu un'antagonista di re Artù, e soprattutto di mago Merlino. Potente maga lei stessa, sarebbe figlia di Gorlois di Cornovaglia e di sua moglie Igraine, che ebbe anche un figlio da Uther Pendragon. Morgana imparò le arti magiche da Merlino, ma fu sempre gelosa del fratellastro Artù e di Ginevra, e fece di tutto per rovinarli. Notevole dovette essere il suo appoggio a Mordred nel complotto per sottrarre al fratello la corona di Britannia.

Motzeyouf
Conosciuto anche con il soprannome di "Stregone Dolce". Fu lui a istituire presso gli cheyenne (una popolazione di nativi americani delle Grandi Pianure in America del Nord) la società di guerrieri. E fu sempre lui ad avvertire la tribù dell'arrivo degli uomini bianchi. Gli cheyenne cambiarono radicalmente il loro stile di vita con l'introduzione del cavallo, divenendo nomadi.

Parsifal
Uno dei cavalieri della Tavola Rotonda, colui che, grazie al suo cuore che rimase sempre puro, arrivò a vedere il Santo Graal.

Robin Hood
Infallibile arciere, la cui vicenda, a metà tra storia e leggenda, si svolse a cavallo dei secoli XII e XIII, durante il regno di re Giovanni d'Inghilterra. Nobile decaduto, figlio di un guar-

daboschi, si dice che rubasse ai ricchi per dare ai poveri. Molte sono le teorie su questo mitico personaggio, ma nulla si sa di preciso sulla sua vera identità.

Sigfrido
Giovane eroe germanico, coinvolto in un'aspra lotta tra due fratelli che volevano impossessarsi del tesoro dei Nibelungi, uccise un drago con la sua potente spada, Gramr.

Tin Hinan
Giovane regina dei Tuareg, il suo nome significa "quella delle tende". Giunse nella regione dell'Ahaggar quando la zona era ancora abitata dagli Isebeten, un popolo molto ingenuo. Tin Hinan divenne la guida della comunità e progenitrice del popolo dei Kel Ahaggar, i tuareg del Nord.

Talos
Statua vivente, venne forgiata nel bronzo per Zeus da Efesto, dio del fuoco e dell'arte di lavorare i metalli, che poi la regalò a Europa. Incaricato da Minosse di sorvegliare Creta, girava l'isola più volte al giorno e uccideva ogni estraneo che passava di lì stritolandolo tra le braccia dopo essersi arroventato sul fuoco. Era invincibile, tranne in un punto sulla caviglia.

Thrall
Significa servo, vassallo, subalterno. Nel nostro universo immaginario, i thrall sono armature o statue dominate da un incantesimo, poste al servizio di qualcuno. Sono involucri vuoti, privi di sentimenti ed emozioni, ma mantengono tracce del carattere di chi le ha incantate e le controlla.

Viviana
Detta anche o Nyneve o Dama del Lago, aveva anche altri soprannomi. È un personaggio del ciclo arturiano, forse colei che allevò Lancillotto. Secondo alcune leggende, fu proprio Viviana a consegnare a re Artù la spada Excalibur, emergendo dal lago con la mano.

Zhang Guolao
Uno degli Otto Immortali cinesi che viveva come eremita e che aveva poteri magici. Riusciva, per esempio, a rendersi invisibile e poteva bere veleno senza che gli accadesse nulla. Di solito è raffigurato come un anziano con la barba, a volte con un cappello e una piuma in testa. Si muoveva sempre sul dorso di una mula bianca. La sera, alla fine dei suoi lunghi viaggi, appiattiva la mula e la piegava in più parti, come fosse stata un pezzo di carta, riponendola poi nella sua borsa per proteggerla. La mattina, sputava sul foglio e la mula riprendeva le sue vere sembianze.

Indice

Prologo - *la storia fino a ora*	1
Un sogno, di nuovo...	7
Il nemico del mio nemico...	19
Ci mancava solo questa!	29
Ospiti inaspettati	41
Guai grossi e torte di mele	55
Un'eco maligna	67
Le Tre Serene	81
Armi di eroi sconfitti	91
In viaggio sul gigante	101
Sull'isola di Eea	111
La figlia del sole e della luna	121
Il gelato più buono del mondo	131
Incontri e scontri	143
La peggior ramanzina della mia vita	153
Il peggior ritorno a casa della mia vita	165
Sembra veramente ridicolo...	175
Foie gras, caviale e sushi	187
A un passo dalla Pietra Nera	199
Da lì a qualche istante sarei morta...	209
Sembrava di vivere in una favola	219
Un nuovo obbiettivo: Inghilterra!	231
Parole mielate	245
Il quartier generale di Mordred	259
È qui e non è qui...	271
Nel covo di Mordred	285
Discordia	299
L'istante in cui tutto si decise	311
Ritorno ad Avalon	321
Tutto tranquillo, o quasi...	337
Ringraziamenti	347
Glossario	349

Finito di stampare
nel mese di Ottobre 2018
Da Valcom S.r.l. - Cernusco sul Naviglio (MI)